DICO *chat*

DR BRUCE FOGLE

Publié pour la première fois au
Royaume-Uni en 2000
sous le titre original *Catalog*
par Dorling Kindersley Limited,
80 Strand, London, W2R ORL.

Traduction : Catherine Ludet
avec la collaboration d'Isabel de Jaham
Mise en pages : Anne-Marie Le Fur

Nous reconnaissons l'aide financière du
gouvernement du Canada par l'entremise
du Programme d'aide au développement
de l'industrie de l'édition (PADIÉ)
pour nos activités d'édition ; du Conseil
des arts du Canada ; de la SODEC ; du
gouvernement du Québec par l'entremise
du Programme de crédit d'impôt pour
l'édition de livres (gestion SODEC).

ISBN 2-89568-100-7

Dépôt légal 2003

Bibliothèque nationale du Québec

Éditions du Trécarré,
division de Éditions Quebecor Média inc.
7, chemin Bates, Outremont (Québec)
H2V 4V7

Imprimé en Espagne

SOMMAIRE

Introduction

Chats à poil long

Chats à poil court

Félinotechnie

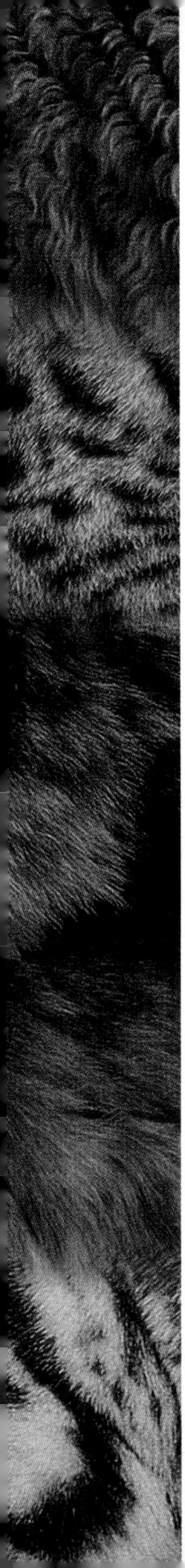

Histoire de l'élevage sélectif

Bien que les chats soient des compagnons de l'homme depuis des millénaires, ce n'est qu'à la fin du XIXe siècle qu'ils commencèrent à faire l'objet d'un élevage sélectif intensif. À cette époque, en effet, les premières expositions stimulèrent la création de clubs à travers l'Europe et l'Amérique du Nord. À partir de races naturelles, les éleveurs s'empressèrent de mettre en application leurs connaissances en matière de génétique afin de fixer certains caractères, ou dans le but de créer des variétés originales.

Ancien ou moderne
Le chat sacré de Birmanie arbore une robe dont la couleur a pu se créer naturellement dans une région isolée du monde.

DÉBUT DE L'ENREGISTREMENT DES RACES

La première exposition féline fut probablement organisée en Angleterre, lors de la foire de St. Giles en 1598, époque à laquelle Shakespeare qualifiait le chat de « créature indispensable et inoffensive ». Il est probable que l'on jugeait alors l'animal autant sur ses qualités de chasseur de souris que sur sa beauté ou son caractère. Le premier concours félin officiel, qui se déroula à Londres, en 1871, permit de noter par écrit les standards de toutes les races exposées. En Amérique du Nord, la première manifestation qui suscita un vif intérêt fut organisée en 1895, à New York, au Madison Square Garden – elle fut remportée par un maine coon. Des associations se constituèrent afin d'établir les règles des concours futurs : en 1887, fut fondé, en Grande-Bretagne, le National Cat Club ; en 1896, l'American Cat Club devint le premier bureau d'enregistrement des races d'Amérique du Nord.

ASSOCIATIONS FÉLINES

La plus grande société d'enregistrement des chats à pedigree du monde est la Cat Fanciers'Association (C.F.A.), fondée en 1906, qui possède des clubs aux États-Unis, au Canada, en Amérique du Sud, en Europe et au Japon. Sa politique d'admission est stricte : elle n'autorise, par exemple, que quatre couleurs pour le chat sacré de Birmanie. En revanche, la T.I.C.A. (The International Cat Association), fondée en 1979 et située en Amérique du Nord, accepte de nouvelles races plus rapidement et encourage l'expérimentation. Le Governing Council of the Cat Fancy (G.C.C.F.) fut formé en 1910 ; sa réglementation sévère – moins toutefois que celle de la C.F.A. – s'applique en Afrique du Sud, en Nouvelle-Zélande et en Australie. En Europe, nombre d'associations dépendent de la Fédération internationale féline (F.I.Fé.), fondée en 1949.

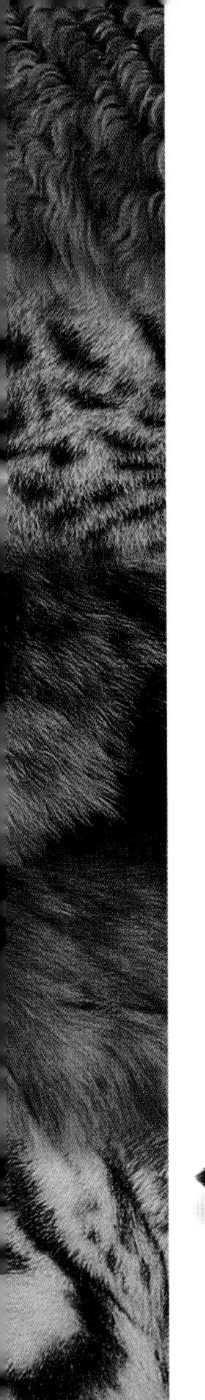

Races anciennes et nouvelles

Les races de chats les plus anciennes, qui sont apparues au sein de populations félines libres et probablement isolées, sont souvent caractérisées par les couleurs ou les marques de leur pelage, presque toujours dues à des gènes « récessifs » *(p. 360)* – par exemple, les tiquetures de l'abyssin sont un trait récessif, aujourd'hui fixé volontairement par un élevage sélectif. Quelques races sont caractérisées par des mutations particulières – le bobtail japonais *(p. 150)* à queue raccourcie, et le manx *(p. 176)*, dénué de queue, en sont des exemples ; d'autres ont évolué naturellement pour aboutir à des types ensuite admis par des associations, tels que le british shorthair et l'européen à poil court *(p. 164, 190 et 212)*, les chats des forêts norvégien et sibérien *(p. 58 et 64)*, et les maine coons *(p. 46)*. Un autre caractère majeur définit ces races anciennes : la longueur du poil.

Caractère félin
Aujourd'hui, les éleveurs opèrent une sélection en faveur d'un type de comportement donné.

Chat insulaire

Les queues écourtées apparaissent dans toute l'Asie, mais un patrimoine génétique limité par l'isolement d'une île fut nécessaire à l'évolution du bobtail japonais.

Plus récemment, l'élevage sélectif s'est développé avec frénésie, parfois avec une rigueur toute scientifique. L'oriental à poil court (*p. 292*), l'ocicat (*p. 338*), l'angora (*p. 132*) et le groupe des asians qui, aux yeux des Britanniques, désigne les chats de type d'Asie du Sud-Est (*p. 254*) sont des créations récentes. Au XXe siècle, les races nouvelles élaborées surpassèrent en nombre les races existantes. Selon les éleveurs, un patrimoine génétique réduit suffit pour créer de nouveaux animaux en bonne santé. Cependant, les problèmes héréditaires mettent parfois du temps à se manifester.

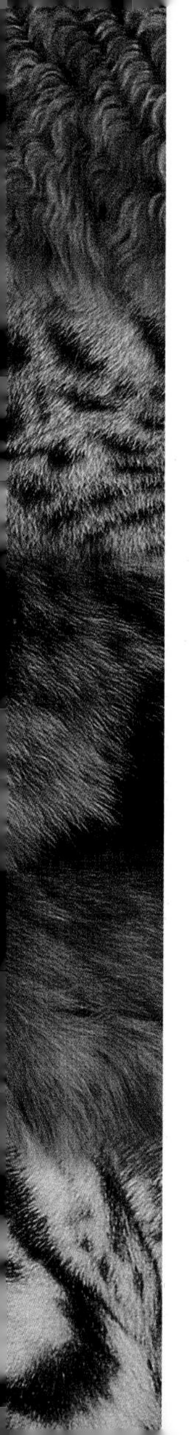

COMMENT UTILISER CET OUVRAGE

Il y a quelques décennies, seules quelques races félines étaient « reconnues ». Aujourd'hui, il en existe plusieurs dizaines : des mutations ont été admises par certains registres ; de nouvelles variétés ont été créées à partir de spécimens anciens, grâce à de nouvelles couleurs ou longueurs de robe ; enfin, certaines des races acceptées dans un pays donné le sont aujourd'hui par d'autres régions du globe.

Carte d'identité
Résumé des informations relatives au spécimen décrit : date et lieu d'origine, nom, croisements effectués pour son élaboration, traits de caractère, et type d'entretien nécessaire

PRÉSENTATION DE LA RACE

Les informations essentielles relatives à une race, telles que son histoire, son nom, les autres races utilisées pour son élaboration et les traits de caractère qui lui sont spécifiques, peuvent être résumées en quelques points. Des précisions complémentaires sont livrées dans les parties descriptive et historique. La morphologie ou la robe, typiques de chaque race, sont détaillées dans les légendes des photographies.

Légendes
Éléments précis indispensables à une race pour concourir

Photographie principale
Dans la mesure du possible, elle illustre les caractéristiques physiques principales de l'animal, ainsi que sa robe la plus remarquable ou la plus courante

Texte d'introduction
Il énonce les caractéristiques physiques et psychologiques de la race

Un peu d'histoire
Retrace brièvement l'évolution de la race, de ses origines à son acceptation par les registres

Couleurs de robe
Couleurs admises pour l'enregistrement, en caractères romains ; autres couleurs en italique

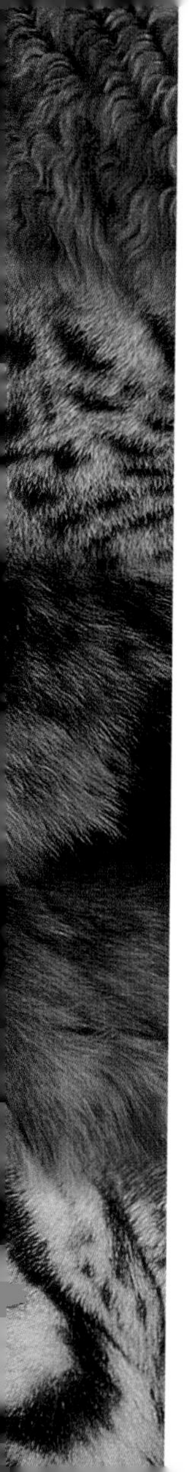

Description de la race

Chaque description se rapporte à l'aspect et au tempérament du chat concerné – les caractéristiques physiques d'un individu à pedigree sont tout à fait apparentes, mais son caractère peut varier, car il dépend, en partie, de son expérience individuelle. « Un peu d'histoire » retrace les étapes ayant mené à l'enregistrement de la race. Certaines d'entre elles sont faciles à retracer ; d'autres le sont moins, car les animaux anciens faisant souvent l'objet de légendes, leur origine reste sujette à polémique. Des éléments relatifs au standard requis pour les concours sont énoncés dans les légendes des illustrations.

Symboles

Les éleveurs et les clubs ont fourni des indications sur le tempérament spécifique des chats de race sur lesquelles ils travaillent. Toutefois, le caractère d'un individu peut se distinguer de celui de ses congénères – il existe même, paraît-il, des siamois silencieux !

BROSSAGE PEU FRÉQUENT — BROSSAGE RÉGULIER — BROSSAGE QUOTIDIEN

CALME — BAVARD

SILENCIEUX — SOCIABLE — ACTIF — INDÉPENDANT

Classification douteuse

Pour la plupart des associations, ces chatons orientaux à poil court « colourpoint » (au corps clair et aux extrémités, ou « points », plus foncées) seraient enregistrés comme siamois. Mais certaines organisations les classent dans la catégorie orientaux de variété non admise.

Différences selon les associations

Tous les registres n'admettent pas les mêmes races, ni les mêmes variétés au sein de chaque race. Des chats d'une race donnée peuvent avoir évolué de façon différente d'un pays à l'autre, et donc présenter un aspect variable. Dans les encadrés, les couleurs de robe acceptées par les association principales – F.I.Fé. en Europe, G.C.C.F. en Grande-Bretagne, C.F.A. en Amérique du Nord et au Japon – figurent en texte romain, tandis que les couleurs non admises, ou parfois acceptées par des associations dites « indépendantes », sont indiquées en italique.

CHATS À POIL LONG

Sur le plan génétique, tous les chats à poil long sont porteurs de l'allèle récessif *(p. 362)* qui détermine une croissance des poils plus grande que celle de leurs ancêtres sauvages. Selon certaines sources, le gène responsable du poil long fut introduit chez les félins domestiques à partir d'un chat sauvage tibétain, mais il n'existe aucune preuve de cette affirmation – une simple mutation génétique pourrait expliquer son apparition. Les chats à poil long apparurent

Chat des forêts norvégien
L'origine des chats qui ont évolué sous de rudes climats, tels que le chat des forêts norvégien, oule maine coon, est révélée par leur pelage imperméable, recouvrant un sous-poil épais et isolant.

naturellement il y a plusieurs siècles, en Asie centrale. Certains d'entre eux atteignirent l'Europe. En Europe, ces animaux furent qualifiés de chats français, russes ou chinois ; trois siècles s'écoulèrent avant qu'on leur reconnût une classification officielle. Après la première exposition féline au Crystal Palace de Londres, en 1871, des standards pour les persans (longhairs en Grande-Bretagne, *p. 16*) et les angoras (*p. 132*) furent fixés. Certaines races à poil long ou mi-long, telles que le tiffany (*p. 116*) et le nebelung (*p. 96*), résultent de l'introduction du gène responsable du poil long au sein de races à poil court.

Somali

Des chatons à poil mi-long apparurent au sein de portées d'abyssins avant la création des somalis. Le somali issu d'un élevage sélectif entrepris en 1967, est aujourd'hui le chat le plus populaire d'Amérique du Nord.

PERSAN

Ce chat, qui vit à l'intérieur de la maison, aime lézarder dans un salon. Selon des enquêtes menées auprès de vétérinaires, c'est le plus paisible et le plus placide des félins, l'un des rares spécimens capables d'accepter l'arrivée d'un congénère dans la maison. Cela ne signifie pas que cet animal soit entièrement passif : en Grande-Bretagne et en Europe continentale, où les chats à pedigree sortent plus fréquemment de la maison qu'ailleurs, les persans savent se montrer de bons gardiens de leur territoire ; ils chassent et tuent leurs proies avec une remarquable efficacité si l'on considère leur museau plat. Leur fourrure exige un entretien quotidien – les vétérinaires sont souvent sollicités pour démêler de gros nœuds.

Bleu

Le museau plat, qui peut parfois être la cause de problèmes de santé, donne au persan l'aspect poupon qui fait son charme. En Grande-Bretagne, seuls les persans unicolores sont admis. Le bleu, l'un des spécimens les plus anciens, est resté populaire. De couleur bleu moyen à bleu clair, il possède des yeux orange ou cuivre ; toute marque plus sombre, blanche ou tabby est pénalisée.

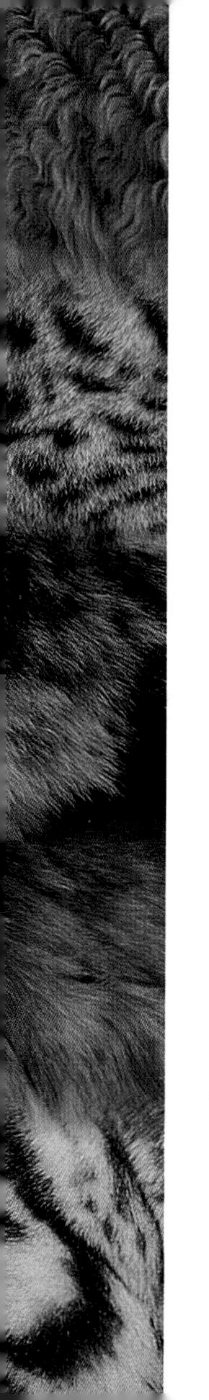

Couleurs de robe

UNICOLORE ET ÉCAILLE-DE-TORTUE
noir, chocolat, roux, bleu, lilas, crème, écaille-de-tortue, écaille chocolat, bleu crème, lilas crème, blanc (yeux bleus, orange, vairons)

FUMÉ
mêmes couleurs que pour les unicolores et écaille-de-tortue, sauf le blanc

SHADED (COULEUR DILUÉE)
silver shaded (yeux verts), étain (yeux orange), shaded cameo rouge, golden, shaded cameo crème, cameo écaille-de-tortue, cameo bleu crème *autres unicolores et écaille-de-tortue*

AVEC « TIPPING »
chinchilla, shell cameo rouge, crème shell cameo, cameo écaille-de-tortue, cameo bleu crème *autres unicolores et écaille-de-tortue*

TABBY (CLASSIQUE SEULEMENT)
brun, chocolat, roux, bleu, lilas, écaille-de-tortue, écaille chocolat, écaille bleu, écaille lilas
crème, autres marques tabby

SILVER TABBY (CLASSIQUE SEULEMENT)
argenté
autres couleurs tabby, autres marques tabby

BICOLORE (STANDARD ET VAN)
tous unicolores, écaille-de-tortue et tabby avec blanc ; *tous unicolores et écaille-de-tortue, fumés, shaded, avec « tipping » et silver tabby avec blanc*

Roux et blanc

À l'origine, seuls étaient acceptés les bicolores noir, bleu, roux et crème. Ce spécimen roux possède des marques symétriques.

Queue fournie et courte, bien proportionnée par rapport au corps

Silver shaded

Autrefois confondu avec le chinchilla, le persan silver shaded a les yeux verts comme la quasi-totalité des persans argentés.

Corps large et trapu, bien musclé

Fourrure longue, épaisse et non laineuse

UN PEU D'HISTOIRE Les premiers ancêtres répertoriés des persans, furent, comme il se doit, importés de Perse en Italie, en 1620, par Pietro Della Valle, et de Turquie en France par Nicolas Claude Fabri de Peiresc, à peu près à la même époque. Pendant les deux siècles suivants, leurs descendants à poil long, désignés par de nombreux noms, furent des animaux de compagnie de luxe. À la fin du XIXe siècle, le persan fut développé selon les standards de l'exposition de 1871. L'aspect trapu original reste un élément essentiel des persans d'aujourd'hui, alors que d'autres caractéristiques ont été modifiées de façon spectaculaire. La race fut reconnue par tous les registres au début du XXe siècle.

Fourrure douce et lustrée

CARTE D'IDENTITÉ

DATE D'ORIGINE XIXe siècle

LIEU D'ORIGINE Grande-Bretagne

ASCENDANCE persans du Moyen-Orient

CROISEMENTS ULTÉRIEURS aucun

AUTRE NOM longhair (Grande-Bretagne)

POIDS 3,5 à 7 kg

CARACTÈRE observateur attentif et calme

Brun tabby classique
Les marques du tabby marbré ou tabby classique sont celles du persan traditionnel, bien que certaines associations d'Amérique du Nord en acceptent d'autres. Le brun, couleur naturelle du tabby, représente donc la robe originale de ce chat.

Cou trapu et court

NOUVELLES VARIÉTÉS DE PERSANS

Aujourd'hui, il existe de nombreux spécimens de persans : la fourrure, la morphologie, et surtout la face, se sont modifiées au cours du siècle passé. Les anciens persans, d'allure compacte, possédaient une tête courte, au museau non plat. Alors qu'en Europe les éleveurs opèrent une sélection en faveur d'un museau conservant un certain relief, leurs collègues américains avaient tendance à préférer un museau « ultra-plat ». Ce courant atteignit un point extrême chez le persan « à tête de pékinois », dont l'élevage a cessé en raison des problèmes créés par ses narines et ses canaux lacrymaux trop étroits.

Golden

Orné d'un tipping intense sur une base abricot, ce persan semble une version dorée du silver shaded. Il existe deux variétés en Amérique, le shaded et le chinchilla ; seul le premier est admis en Grande-Bretagne.

Crème shell cameo

Les chinchillas et silver shaded furent admis assez tôt dans l'histoire de la race, mais les autres persans avec tipping ne furent élevés qu'après la Seconde Guerre mondiale. Ce crème shell cameo est essentiellement un chinchilla crème, dont l'extrémité des poils est de couleur chaude.

Bleu crème

Bien que cette couleur existe pratiquement depuis la naissance de la race, elle ne fut pas admise avant 1930, essentiellement parce que l'origine génétique des couleurs n'était pas comprise – les bleu crème ne surgirent que par un effet du hasard.

Queue couleur crème

Crème shaded cameo

Cette version diluée du roux shaded cameo donne une couleur moins chaude et moins foncée. Seuls les roux shaded cameo, crème, écaille-de-tortue et bleu crème sont admis en Grande-Bretagne, car la sélection fut effectuée à partir de spécimens écaille-de-tortue. Les silver shaded et étain ont des origines différentes.

Chocolat et blanc

Les persans écaille et blanc furent admis vers les années 1950 ; d'autres couleurs furent acceptées au cours de la décennie suivante. En 1971, le standard autorisa des marques blanches sur un tiers ou sur la moitié de la fourrure. Ce changement contribua grandement à la popularité du persan. Toutes les couleurs et les marques sont maintenant admises chez les persans standard et van.

Shaded cameo rouge

Le gène inhibiteur, diluant la couleur, était présent chez les persans depuis le début, mais les cameo apparurent sur la scène relativement tard. Ils furent élaborés aux États-Unis dans les années 1950 et furent admis par la C.F.A. en 1960. Introduits dans le reste du monde, ils firent l'objet d'un élevage en Europe dès 1962.

PERSAN COLOURPOINT

Cette version du persan est la première « exportation » de la couleur du siamois à un autre chat *(p. 280)*. Ici la fourrure somptueuse du persan s'allie aux marques et couleurs exotiques du célèbre chat aux yeux bleus, à l'exception, justement, de la couleur des yeux, moins intense chez le persan colourpoint.

Seal point

Le masque d'un persan colourpoint adulte recouvre la face, mais ne doit pas s'étendre sur le reste de la tête. La fourrure des mâles possède des marques plus importantes que les femelles.

Corps grand ou moyen, aux pattes courtes

Le pelage fonce chez les chats âgés

COULEURS DE ROBE

UNICOLORE ET ÉCAILLE-DE-TORTUE
blue point, chocolate point, cream point, lilac point, red point, seal point, bleu crème, écaille chocolat, lilas crème, écaille seal

COLOURPOINT TABBY
mêmes couleurs que ci-dessus

CREAM POINT TABBY

RED POINT

BLUE POINT

SEAL POINT TABBY

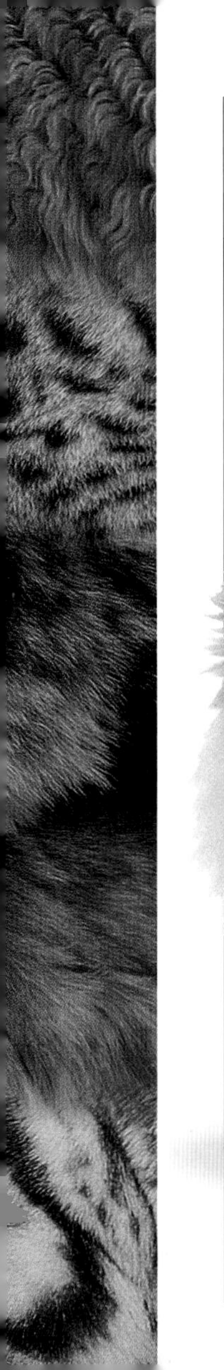

Chocolate point

Cette couleur associe un corps blanc ivoire à des pointes brunes, d'intensité égale.

Petites oreilles à bout arrondi, relativement peu ouvertes à la base

Carte d'identité

Date d'origine années 1950

Lieu d'origine Grande-Bretagne et États-Unis

Ascendance persans, siamois

Croisements ultérieurs persans

Autre nom himalayan (Amérique du Nord)

Poids 3,5 à 7 kg

Caractère calme et affectueux

Chaton cream point

La couleur des pointes met plus de temps à apparaître chez les chats à poil long que chez les chats à poil court. Lorsqu'elle est diluée, comme chez les cream point, elle se fait désirer encore davantage.

Lilac point

Les extrémités aux chaudes nuances lilas mettent en valeur le blanc magnolia du pelage. Lorsque des persans colourpoint sont croisés avec d'autres types de persans, le gène relatif aux couleurs des extrémités étant récessif, le patrimoine génétique des spécimens issus de ces croisements est susceptible de produire des colourpoints, ce qui est inscrit dans leur pedigree.

Queue courte et touffue, harmonieusement proportionnée au corps

UN PEU D'HISTOIRE Les premiers croisements de siamois et de persans furent effectués en 1920, en Europe. Ils produisirent des chats désignés sous le nom de « khmers », qui existèrent en Europe continentale jusqu'aux années 1950. Dans les années 1930, des généticiens américains travaillant sur la transmission des gènes croisèrent un persan noir avec un siamois. La portée de la première génération ne comportait que des persans noirs, qui, croisés de nouveau avec des siamois, donnèrent des petits au pelage clair et aux extrémités foncées. Ces spécimens furent ensuite baptisés « himalayans », en référence aux lapins de même nom dotés d'extrémités sombres. En Grande-Bretagne, le persan colourpoint fut admis en 1955 ; l'Europe continentale rebaptisa ce chat dans un but d'harmonisation. Tous les grands registres admirent cette race en 1961.

CHAT SACRÉ DE BIRMANIE

Ce chat aux couleurs originales, d'origine mystérieuse, est un spécimen au corps bien construit, doté de pattes superbes et de grands yeux bleus. Son poil soyeux s'emmêle moins facilement que celui du persan *(p. 16)*, mais un brossage quotidien reste indispensable. Dans les années 1940, les « birmans » avaient presque disparu : il ne restait que deux individus en France. Ces deux chats furent croisés avec d'autres espèces afin que la race fût préservée, ce qui élargit le patrimoine génétique et fit apparaître une diversité de couleurs de « points ».

Profil

Le profil du chat sacré, illustré ici par un red point, est accentué par une inclinaison du museau, dont l'extrémité est légèrement arrondie. Le menton ne doit pas être fuyant.

Face

Le blue point possède un masque qui recouvre le museau, du front au nez, relié aux oreilles par quelques traces de même couleur. Chez les spécimens sans marques tabby, le masque est de couleur dense et régulière.

Couleurs de robe

UNICOLORE ET ÉCAILLE-DE-TORTUE
seal point, chocolate point, red point, blue point, lilac point, cream point, seal tortie (écaille), chocolate tortie, blue tortie, lilac tortie

COLOURPOINT TABBY
toutes les couleurs précédentes

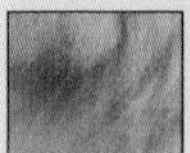
SEAL TORTIE TABBY

CHOCOLATE

Seal point

C'est le chat sacré « classique ». Ses couleurs correspondent à celles décrites dans la légende des origines de la race (page suivante) : gants blancs à l'extrémité des pattes, surmontés de manchettes brun foncé, corps doré et yeux bleus.

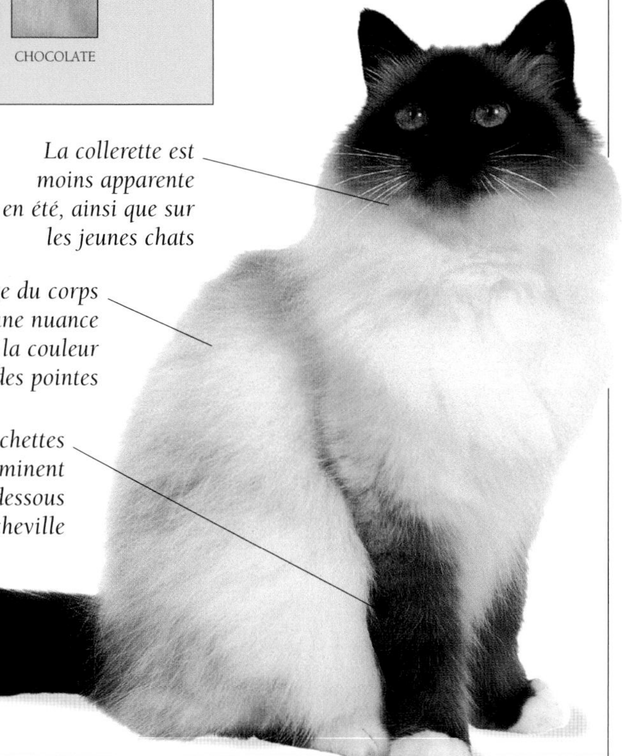

La collerette est moins apparente en été, ainsi que sur les jeunes chats

Le pelage du corps s'orne d'une nuance diluée de la couleur des pointes

Les manchettes se terminent juste au-dessous de la cheville

Lilac point
Cette couleur ainsi que le chocolate point furent deux des premières nuances « nouvelles » acceptées. Les « points », d'un gris rosé, ainsi que la peau de la truffe, soulignent les chaudes nuances magnolia du pelage.

Corps allongé et robuste

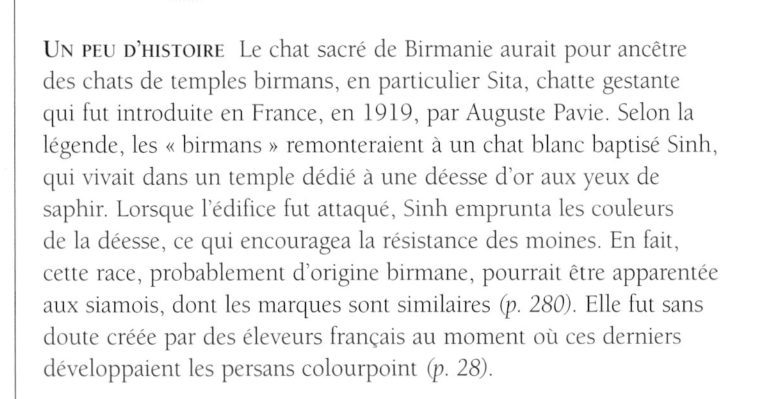

Un peu d'histoire Le chat sacré de Birmanie aurait pour ancêtre des chats de temples birmans, en particulier Sita, chatte gestante qui fut introduite en France, en 1919, par Auguste Pavie. Selon la légende, les « birmans » remonteraient à un chat blanc baptisé Sinh, qui vivait dans un temple dédié à une déesse d'or aux yeux de saphir. Lorsque l'édifice fut attaqué, Sinh emprunta les couleurs de la déesse, ce qui encouragea la résistance des moines. En fait, cette race, probablement d'origine birmane, pourrait être apparentée aux siamois, dont les marques sont similaires *(p. 280)*. Elle fut sans doute créée par des éleveurs français au moment où ces derniers développaient les persans colourpoint *(p. 28)*.

Blue point tabby

Les marques tabby existent maintenant sous diverses couleurs. Les colourpoints tabby présentent des marques de « froncement » sur le devant du front et des « lunettes » plus claires, des joues ombrées, des pattes rayées et une queue annelée.

CARTE D'IDENTITÉ

DATE D'ORIGINE inconnue

LIEU D'ORIGINE Birmanie ou France

ASCENDANCE contestée

CROISEMENTS ULTÉRIEURS aucun

AUTRE NOM birman

POIDS 4,5 à 8 kg

CARACTÈRE affectueux et réservé

Seal tortie point
Bien que le marquage n'ait pas besoin d'être régulier, et que le masque facial ne soit pas nécessaire, chacun des « points » du véritable tortie point doit comporter un mélange de couleurs. Les nuances ombrées du corps doivent être légèrement irrégulières.

Cream point

À l'instar du red point, le cream point est l'une des additions les plus récentes à la race birmane. L'illustration montre un jeune chat : avec la maturité, le masque s'étend sur toute la face. Les marques tabby ne sont pas un réel défaut pour ces deux couleurs.

RAGDOLL

Réputé pour s'abandonner aux caresses avec confiance et placidité, ce qui lui vaut ce nom de « poupée de chiffon », le ragdoll est un grand chat, étonnamment lourd. Blanc à la naissance, son pelage mi-long et doux, qui fait moins de nœuds que celui du persan *(p. 16)*, se teinte peu à peu et devient foncé au niveau des « points » ; il atteint sa couleur définitive à la fin des deux premières années. Quoique doté d'une bonne musculature et d'un poids qui lui donne l'avantage sur nombre d'autres congénères, ce chat possède un tempérament aimable.

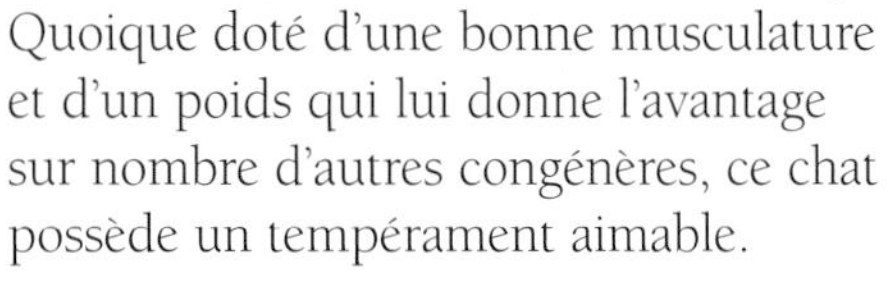

Ganté bleu

Le pelage du ragdoll témoigne d'un héritage birman. Certains amateurs de chats manifestent une résistance envers cette race, considérée comme une « copie » du chat sacré de Birmanie.

Tête moyenne ou large, au joues pleines et au museau arrondi

Tête du ragdoll

De profil, l'arête du nez, qui est de taille moyenne, est surmontée d'un stop très léger. Sur ce ganté seal, elle s'orne d'une marque blanche étroite, admise pour cette couleur.

Couleurs de robe

COLOURPOINT
seal point, chocolate point, blue point, lilac point

GANTÉ
toutes les couleurs précédentes

BICOLORE
toutes les couleurs précédentes

BICOLORE CHOCOLAT

LILAC POINT

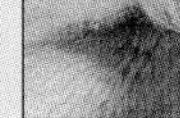
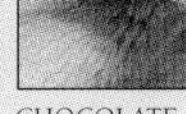

CHOCOLATE POINT

Bicolore seal

Le pelage blanc doit former un « V » inversé sur le museau et couvrir la partie inférieure du corps, du menton à la base de la queue. Les pattes avant et la partie inférieure des pattes arrière sont blanches.

UN PEU D'HISTOIRE Bien que le ragdoll soit un chat nouveau, son histoire est confuse. Dans les années 1960, une éleveuse californienne produisit les premiers spécimens en croisant un persan blanc, probablement sans pedigree, avec un chat sacré de Birmanie ou un chat de type birman. Les chatons obtenus avaient la réputation de détendre complètement leurs muscles lorsqu'ils étaient caressés et de devenir mous comme les poupées de chiffon. L'éleveuse fonda un club de la race, mais ses ragdolls ne furent pas acceptés par les autres associations. Des croisements ultérieurs conduisirent à la race actuellement admise par les grands registres.

Oreilles de taille moyenne, larges à la base, aux extrémités arrondies
Cou trapu et solide
Pattes de taille moyenne, au poil plus court que celui du corps

CARTE D'IDENTITÉ

DATE D'ORIGINE années 1960
LIEU D'ORIGINE États-Unis
ASCENDANCE mal connue
CROISEMENTS ULTÉRIEURS aucun
AUTRE NOM aucun
POIDS 4,5 à 9 kg
CARACTÈRE docile, s'abandonne aux caresses

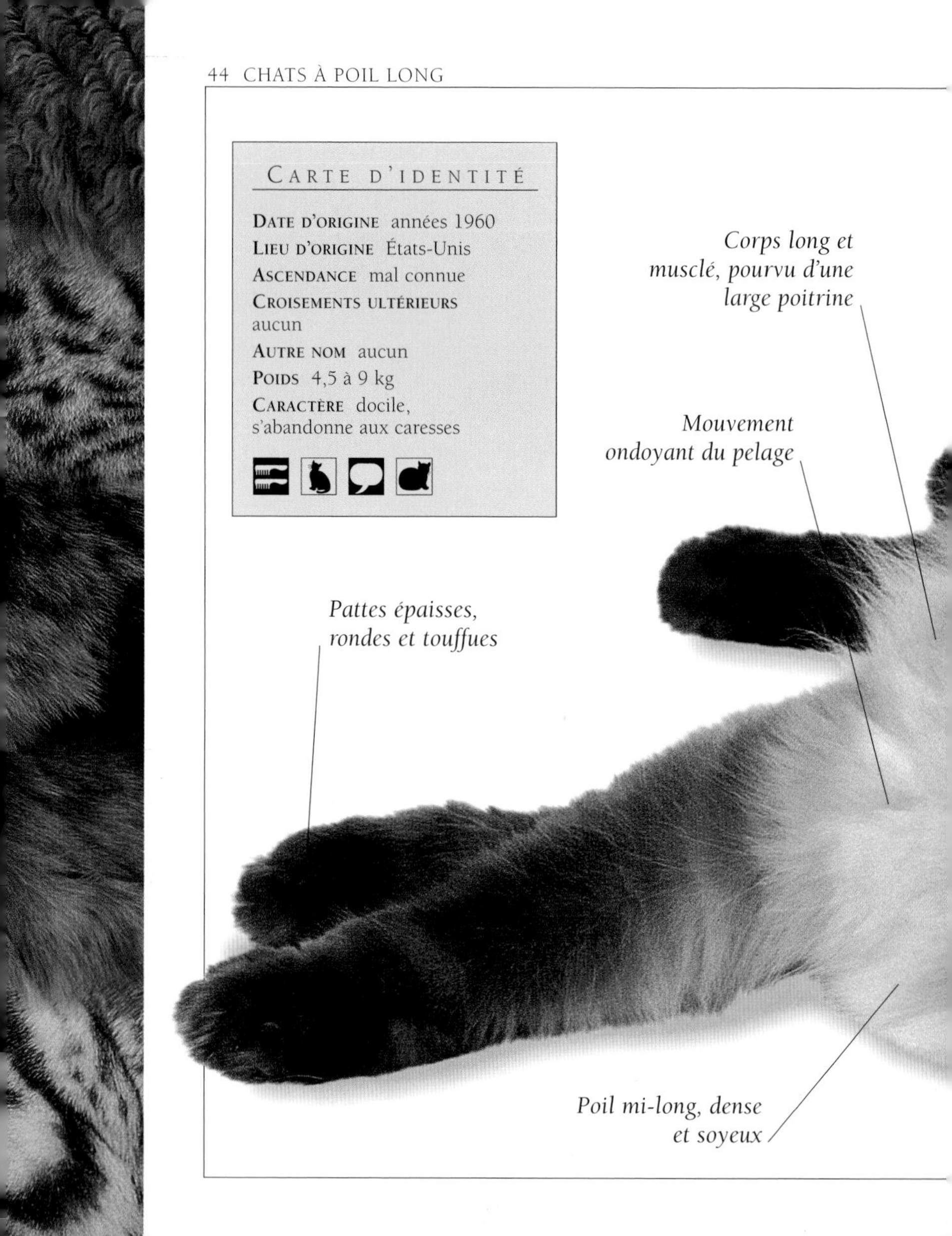

Seal point

Cette couleur ainsi que sa version diluée, le bleu, sont les couleurs les plus fréquentes chez les ragdolls. Les nuances chocolat et lilas sont difficiles à obtenir. Certains éleveurs affirment que le patrimoine génétique de cette race contient d'autres couleurs.

MAINE COON

À la fois vigoureux et tranquille, le maine coon, chat magnifique à contempler et à caresser (son pelage est encore plus dense et plus brillant en hiver), est devenu ces dernières années un compagnon particulièrement apprécié. Il se distingue des autres chats par de petits cris modulés à l'aide desquels il salue l'arrivée de ses congénères ou de ses maîtres. Bien qu'il apprécie énormément la compagnie des humains, il n'est pas trop dépendant d'eux et adore se livrer à des activités qui lui sont propres – certains individus aiment nager. Les femelles se montrent plus posées que les mâles, souvent tout fous. Toutefois, aucun maine n'aime se lover sur des genoux.

Tête du maine *La taille et l'implantation des oreilles varie selon les standards des différentes associations. En général, les yeux sont verts, dorés ou cuivrés. Les yeux bleus ou vairons sont admis chez les chats blancs.*

COULEURS DE ROBE

UNICOLORE ET ÉCAILLE-DE-TORTUE
noir, bleu, crème, roux, écaille-de-tortue, écaille bleu, blanc (yeux bleus, verts, orange et vairons)

FUMÉ ET SHADED
mêmes couleurs que précédemment, à l'exception du blanc

TABBY (CLASSIQUE, TIGRÉ)
brun, rouge, bleu, crème, écaille-de-tortue, écaille bleu

SILVER TABBY
mêmes couleurs que pour les tabbys standards

BICOLORE
toutes les couleurs précédentes avec du blanc

CRÈME SHADED

FUMÉ NOIR

BRUN TABBY CLASSIQUE

BLEU SILVER TABBY

Noir

Bien que le maine coon soit traditionnellement associé aux marques tabby, les chats unicolores sont fréquents.

Grandes oreilles bien dressées et plantées haut sur la tête
Grands yeux ronds, légèrement obliques
Dos allongé
Corps de taille moyenne ou grande, aux muscles solides

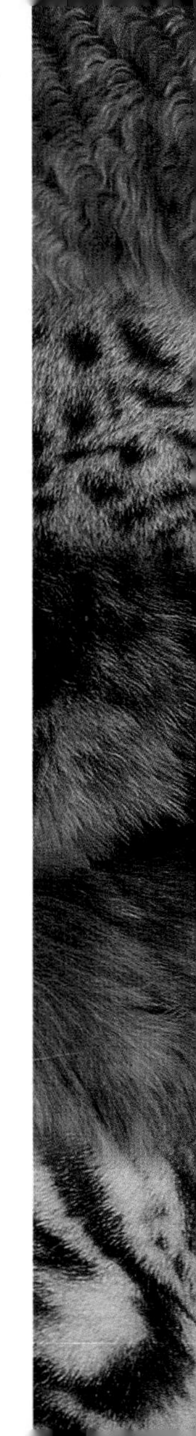

Écaille tabby

L'image du maine coon, considéré comme un gros chat au poil rude et aux marques tabby, est tellement bien ancrée dans l'esprit du public que tout chat correspondant à cette description est susceptible d'être considéré comme un maine. Les maines authentiques, dotés de riches couleurs de robe, répondent à des standards très stricts, nécessitant un élevage très rigoureux. Leur taille reste sujette à polémique : les arguments de certains éleveurs, n'admettant que des chats au poids égal ou inférieur à 15 kg, sont peu convaincants.

UN PEU D'HISTOIRE L'origine lointaine du maine coon nous est inconnue. Ses ancêtres probables furent des chats qui accompagnèrent les premiers colons britanniques dans le Maine, aux États-Unis, ainsi que des persans russes ou scandinaves qui vivaient sur des bateaux amarrés dans les ports de cet État. Les hivers rigoureux de la Nouvelle-Angleterre conviennent à ces spécimens dotés d'un pelage dense, suffisamment imposants pour chasser le lièvre. Captain Jenks, chat noir et blanc, fut le premier « maine » remarqué dans les expositions de 1961, à Boston et à New York, époque à laquelle cette race devint populaire. Au tournant du XXe siècle, le maine céda la place au persan dans la faveur du public ; ses grands talents de chasseur lui permirent néanmoins de survivre dans les fermes. C'est actuellement l'une des races les plus appréciées dans le monde.

Tabby classique rouge
Seuls les tabbys rayés et marbrés sont admis chez les maine coons. Les spécimens roux doivent présenter un rouge véritable, bien distinct de la couleur gingembre des chats sans race définie.

Brun tabby tigré et blanc

À l'origine, seuls les bruns tabby étaient considérés comme des maine coons : leur pelage, leur structure massive et leur grosse queue rayée leur donnait l'aspect d'un raton laveur. Les spécimens dotés d'autres couleurs ou d'autres marques étaient baptisés maine shags lorsque la race n'en était qu'à ses débuts.

CARTE D'IDENTITÉ

DATE D'ORIGINE années 1860
LIEU D'ORIGINE États-Unis
ASCENDANCE chats de ferme
CROISEMENTS ULTÉRIEURS aucun
AUTRE NOM maine shag
POIDS 4 à 10 kg
CARACTÈRE géant débonnaire

NOUVELLES VARIÉTÉS DE MAINE COONS

Le pelage du maine coon est indéniablement celui d'un chat de ferme. Bien qu'il soit long et épais, il demande peu d'entretien et se révèle imperméable, ce qui fait qu'il a rarement besoin d'être lavé. D'aucuns affirment que les couleurs fumées et argentées furent introduites dans la race grâce à des croisements avec des persans. Cette théorie semble peu probable, car de nombreux chats sans race définie d'Amérique du Nord, qui n'ont rien à voir avec des persans, sont porteurs du gène inhibiteur responsable des couleurs diluées. En Grande-Bretagne, le même éventail de couleurs est appliqué aux spécimens unicolores, fumés, shaded, tabby et silver tabby. En Amérique du Nord, la répartition est plus complexe.

Chaton bleu et blanc
La structure solide de cette race apparaît dès le plus jeune âge. Il est difficile de deviner ce que deviendra un chaton maine coon à l'âge adulte ; certains spécimens remarquables ne se révèlent qu'à l'âge adulte.

Blanc aux yeux vairons

Comme tous les chats de race, les spécimens blancs peuvent souffrir de surdité. Cette caractéristique s'applique tout particulièrement aux animaux aux yeux bleus ou aux yeux vairons. Certains éleveurs affirment que les chatons présentant une grande « coiffe » de poils sombres sont moins susceptibles de souffrir de ce handicap.

Silver tabby

Ce silver tabby illustre la version britannique du maine coon. Sa grande tête aux yeux ovales est surmontée d'oreilles de taille modérée et écartées à l'extrême. Le corps et les pattes, puissants, donnent l'impression d'un chat capable de se débrouiller en toutes circonstances.

Autre version du silver tabby
Cet autre spécimen silver tabby incarne le maine coon d'Amérique du Nord. Sa tête, légèrement plus anguleuse, est dotée d'oreilles plus grandes et plantées plus haut que celles de son congénère britannique.

Maine rex

Ces chats très controversés sont des maine coons pure race, qui témoignent d'une mutation de type rex, considérée autrefois comme létale, mais produisant aujourd'hui des individus en pleine santé. Leur pelage, privé de poils de jarre, leur donne un aspect tout à fait original : il est donc fort peu probable qu'ils soient un jour admis au sein de la race. La mutation étant due à un gène récessif, il est vraisemblable que cette caractéristique se maintienne.

Tabby rouge

Un roux tabby véritable arbore un orange profond, à la fois sur le fond de robe et sur les marques plus sombres. Le gène inhibiteur dilue ou supprime la couleur générale, mais les taches doivent se révéler d'une couleur aussi prononcée que celle du chat unicolore.

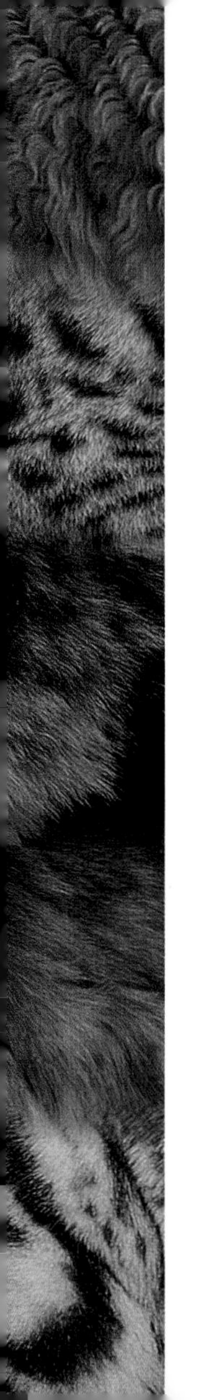

CHAT DES FORÊTS NORVÉGIEN

Distant avec les étrangers, mais manifestant une confiance paisible envers les personnes familières, le chat des forêts norvégien partage des attributs avec le maine coon *(p. 46)* et le chat des forêts sibérien *(p. 64)*. Une belle taille et des pattes postérieures très développées lui confèrent une prestance indéniable. Les Norvégiens aiment désigner cet animal « naturel » comme leur petit lynx. Ce superbe chasseur et grimpeur, qui peut être considéré comme un chat domestique affectueux, défend son territoire avec vigueur. Selon certains maîtres, il sait également attraper des poissons.

COULEURS DE ROBE

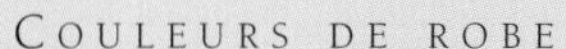

UNICOLORE ET ÉCAILLE-DE-TORTUE
noir, rouge, bleu, crème, blanc, écaille-de-tortue, bleu crème

SHADED ET AVEC « TIPPING »
toutes les couleurs précédentes

FUMÉ
toutes les couleurs précédentes sauf le blanc

TABBY (CLASSIQUE, TIGRÉ, MOUCHETÉ)
brun, rouge, bleu, crème, écaille-de-tortue, écaille bleu

SILVER TABBY
couleurs et marques similaires à celles des tabbys standards

MARRON TABBY

BLEU ET BLANC

ROUX TABBY

BICOLORE
toutes les couleurs et taches avec du blanc

Silver tabby

Le standard du chat des forêts norvégien exige que son apparence reflète ses origines de chat de ferme, les caractéristiques les plus importantes étant le type et la qualité du pelage. Le système de notation n'accorde pas de points spécifiques à la couleur.

Fumé noir et blanc

Le type norvégien est toujours élégant. Imposant et robuste, il doit cependant garder un aspect élancé. Les traits faciaux, anguleux, lui confèrent une expression alerte et attentive.

Le corps, doté d'os solides et d'une bonne musculature, est massif

UN PEU D'HISTOIRE Les chats furent introduits en Norvège vers l'an mille, par la route du commerce entre les Vikings et l'Orient byzantin. Des couleurs de robe courantes en Turquie mais rares en Europe suggèrent que les ancêtres des chats actuels furent vendus par Byzance à la Norvège. Les hivers scandinaves favorisèrent les chats à poil long, populaires auprès des fermiers. L'élevage sélectif ne fit son apparition que vers 1970. Le « norvégien » atteignit les États-Unis en 1979, et la Grande-Bretagne dans les années 1980.

Silver tabby et blanc
Chez la plupart des chats, les robes ont une nuance légèrement jaunâtre ou « patine », due aux gènes déterminant le roux ; cet effet est particulièrement visible chez les silver tabby.

Noir

Enveloppé d'un manteau noir épais pour l'hiver, le « norvégien » évoque l'un des chats féroces des légendes nordiques. La couleur des yeux n'étant pas liée à la couleur de la robe, les noirs unicolores ont des yeux verts ou dorés. Au soleil, le pelage s'orne de reflets roux.

CARTE D'IDENTITÉ

DATE D'ORIGINE années 1930

LIEU D'ORIGINE Norvège

ASCENDANCE chats de ferme

CROISEMENTS ULTÉRIEURS aucun

AUTRES NOMS skogkatt ou skaukatt, wegie

POIDS 3 à 9 kg

CARACTÈRE réservé et calme

Bleu tabby et blanc
La prédominance de tabbys et de bicolores indique que le chat des forêts norvégien est issu de populations dotées de ces deux types de robe.

Tête triangulaire, au profil long et droit et au menton bien dessiné

Queue fournie, aussi longue que le corps

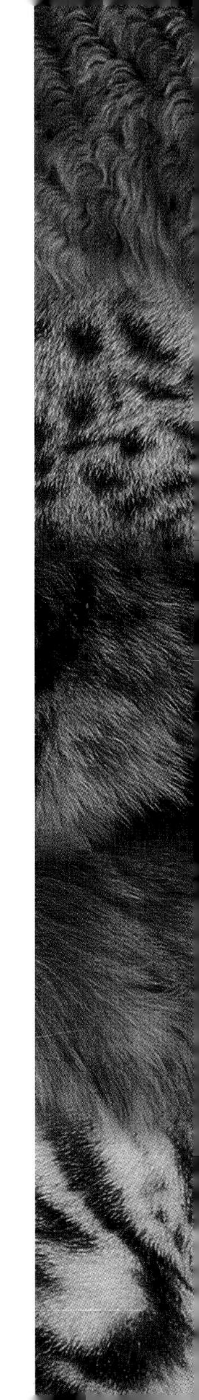

CHAT DES FORÊTS SIBÉRIEN

Réputée pour ses hivers très rigoureux, la région du globe d'où ce chat est issu a favorisé la survie de spécimens grands, robustes et couverts d'un pelage protecteur, dont on ne connaît pas l'origine exacte. Il est toutefois certain que le chat des forêts sibérien a été perfectionné par son environnement. Il peut résister aux conditions les plus rudes : sa fourrure est épaisse, très fournie et huileuse, et son sous-poil se révèle assez dense pour affronter les vents les plus froids.

Brun tabby tigré
Le standard international du « sibérien » est moins typiquement « sauvage » que celui préféré par les clubs russes. Bien que la tête soit large, elle donne une impression de « rondeurs et de cercles », jusqu'à la forme des yeux, au regard doux. Les « sibériens » d'Amérique du Nord ont des oreilles moyennes ou grandes.

Grands yeux ovales, légèrement obliques

Couleurs de robe

UNICOLORE ET ÉCAILLE-DE-TORTUE
noir, rouge, bleu, crème, écaille-de-tortue, écaille bleu
tous les autres unicolores et écaille-de-tortue

FUMÉ, SHADED ET AVEC TIPPING
mêmes couleurs que pour les unicolores et écaille

TABBY, SILVER TABBY (CLASSIQUE, TIGRÉ, MOUCHETÉ)
brun, rouge, bleu, crème, écaille-de-tortue, écaille bleu
marques tiquetées, tous les autres unicolores et écaille-de-tortue

BICOLORE
toutes les couleurs admises : unicolore, écaille-de-tortue et tabby, avec du blanc

CRÈME ET BLANC

ÉCAILLE-DE-TORTUE ET BLANC

BLEU

SILVER TABBY

Roux shaded tabby et blanc
Dans son pays d'origine, le « sibérien » n'est admis que dans des couleurs à base de roux ou de noir, ce qui n'est pas le cas en Amérique du Nord. Le gène inhibiteur, qui produit les couleurs diluées, est naturellement présent, bien que non dominant.

UN PEU D'HISTOIRE Les étendues sauvages septentrionales de Russie abritent des chats à poil long, qui, à l'instar de nombreuses races naturelles, ne suscitèrent d'intérêt que récemment. L'élevage sélectif rigoureux ne commença que dans les années 1980. Le chat des forêts sibérien est reconnu par un vaste éventail de registres dans son propre pays. Il fut importé aux États-Unis en 1990. Parmi les associations importantes, seule la T.I.C.A. reconnaît le « sibérien », mais, selon elle, la tête de ce chat doit être différente du standard russe ; il se peut donc que ce spécimen évolue sous deux aspects distincts.

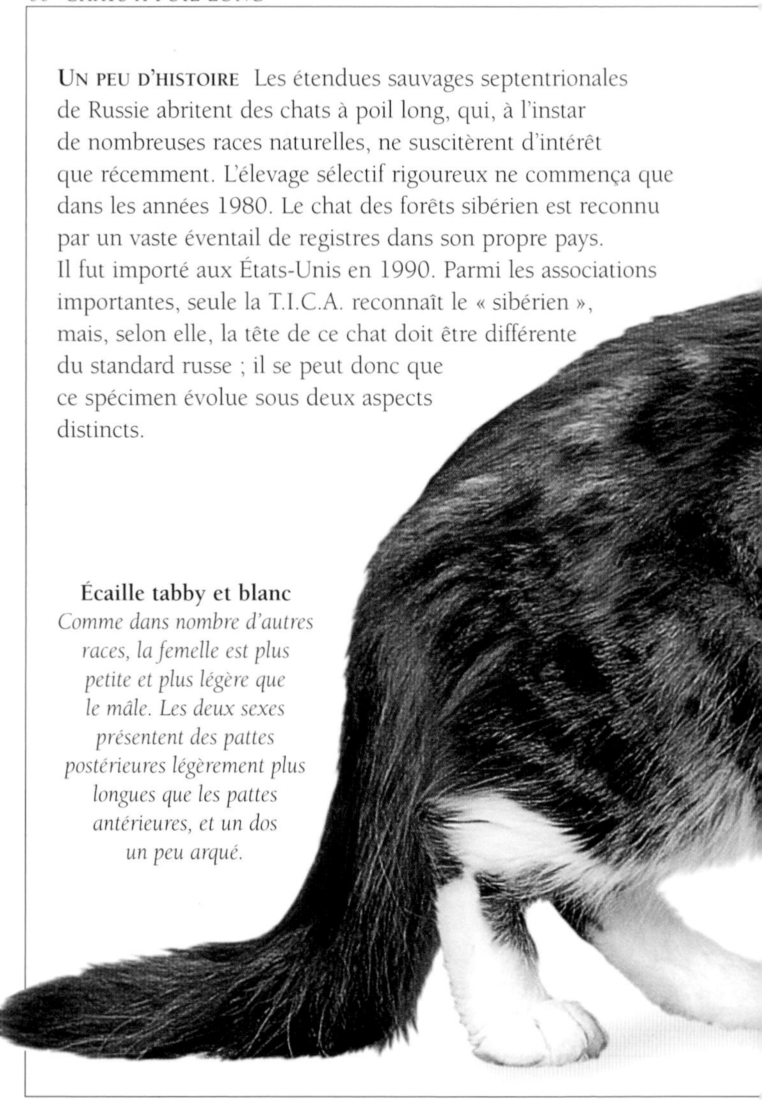

Écaille tabby et blanc
Comme dans nombre d'autres races, la femelle est plus petite et plus légère que le mâle. Les deux sexes présentent des pattes postérieures légèrement plus longues que les pattes antérieures, et un dos un peu arqué.

Tête large et plate entre les oreilles
Pelage long et légèrement huileux
Pattes larges, aux extrémités arrondies et touffues

CARTE D'IDENTITÉ

DATE D'ORIGINE années 1980

LIEU D'ORIGINE Sibérie

ASCENDANCE chats de ferme et de compagnie

CROISEMENTS ULTÉRIEURS aucun

AUTRE NOM aucun

POIDS 4,5 à 9 kg

CARACTÈRE alerte et inventif

Brun tabby moucheté et blanc
À l'origine, il existait une prédominance de pelages tabby chez le « sibérien », ce qui n'est pas surprenant au sein d'un environnement où abondent les ennemis naturels. Les éleveurs vont certainement s'orienter vers une plus grande variété de teintes unicolores et diluées, mais les tabbys de tous les types prédominent encore au sein de cette race.

Brun tabby classique
Le « sibérien » est le chat qui évoque le plus un chat sauvage. Sa tête large et ovale, aux yeux légèrement obliques, lui confère un aspect indéniablement asiatique. Les clubs russes souhaitent conserver à ce spécimen son apparence originale.

Corps allongé, musclé et puissant

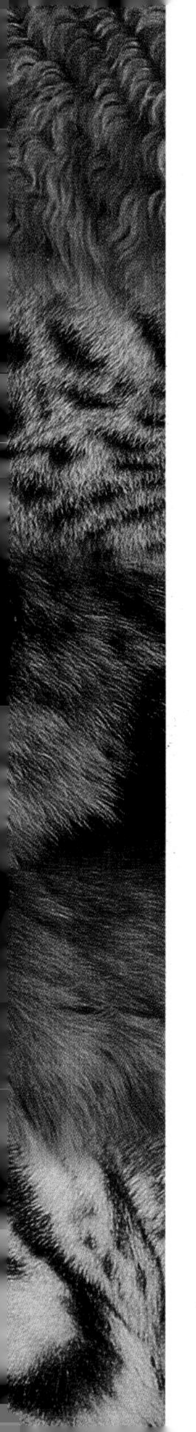

AMERICAN CURL

Ce chat calme est le chat américain par excellence. Il possède un trait distinctif : l'incurvation des pavillons des oreilles vers l'arrière de la tête, qui lui donne une tête de lutin étonné – le gène responsable étant dominant, un curl croisé avec un chat d'autre race produit des portées contenant pour moitié des spécimens curl. Les autres, baptisés american curl aux oreilles droites, sont utilisés pour des programmes d'élevage ou vendus comme animaux domestiques.

COULEURS DE ROBE

UNICOLORE ET ÉCAILLE-DE-TORTUE
noir, chocolat, roux, bleu, lilas, crème, blanc, écaille-de-tortue, bleu crème ; *tous les autres unicolores et écaille-de-tortue*

FUMÉ
mêmes couleurs que précédemment, sauf blanc, plus écaille chocolat ; *tous les autres unicolores et écaille-de-tortue*

SHADED ET AVEC TIPPING
shaded silver, shaded golden, shaded cameo, shaded écaille, chinchilla silver, chinchilla golden, shell cameo, shell écaille ; *tous les autres unicolores et écaille-de-tortue*

TABBY (TOUTES MARQUES)
brun, rouge, bleu, crème, brun marbré, bleu marbré ; *tous les autres unicolores et écaille-de-tortue*

SILVER TABBY
silver, chocolat silver, cameo, bleu silver, lavande silver, crème silver, silver marbré ; *tous les autres unicolores et écaille-de-tortue*

BICOLORE (CLASSIQUE ET VAN)
noir, rouge, bleu, crème, écaille-de-tortue, bleu crème et toutes couleurs tabby avec du blanc ; *tous les autres unicolores et écaille-de-tortue*

COLOURPOINT UNICOLORE ET ÉCAILLE-DE-TORTUE
seal, chocolat, flamme, bleu, lilas, crème, écaille-de-tortue, écaille chocolat, bleu crème, lilas crème ; *toutes les autres couleurs, marques sépia et vison*

COLOURPOINT LYNX (TABBYS) mêmes couleurs que pour les colourpoints unicolores et écaille, sauf rouge ; *toutes les autres couleurs, marques sépia et vison*

Écaille-de-tortue et blanc
Ce pelage, également appelé « calico » en Amérique du Nord, est pratiquement réservé aux femelles. Le standard modéré du curl favorise les femelles : au sein de races plus volumineuses, ces dernières sont surpassées par des mâles, plus solides.

UN PEU D'HISTOIRE Les amateurs de chats adoptent souvent des animaux abandonnés : telle est l'origine du curl. En 1981, un chaton apparut près de la maison de Grace et Joe Ruga, en Californie. Grace déposa de la nourriture sur son perron, et le petit animal se laissa rapidement apprivoiser. Il s'agissait d'une femelle noire affectueuse, qui possédait un pelage long et soyeux ainsi que des oreilles inhabituelles. Tous les curls descendent de cette chatte qui, en décembre de l'année de son adoption, donna naissance à quatre chatons, dont deux possédaient des oreilles incurvées. Ces spécimens furent exposés en 1983, en Californie ; la race est désormais admise en Amérique du Nord. Les premiers curls introduits en Europe, qui arrivèrent en Grande-Bretagne en 1995, ont peu de chance d'être acceptés par le G.C.C.F. ou la F.I.Fé.

Corps modérément musclé, de structure semi-« foreign ».

Seal point

Les marques colourpoint, autrefois réservées à une seule race, se sont étendues à nombre d'autres variétés de chats. Des spécimens nouveaux, tels que le curl, possèdent couramment ce type de robe. Les chats au poil vraiment long présentent, en général des « points » clairs de teinte douce.

CARTE D'IDENTITÉ

DATE D'ORIGINE 1981

LIEU D'ORIGINE États-Unis

ASCENDANCE chats de compagnie américains

CROISEMENTS ULTÉRIEURS chats domestiques sans pedigree

AUTRE NOM aucun

POIDS 3 à 5 kg

CARACTÈRE affabilité tranquille

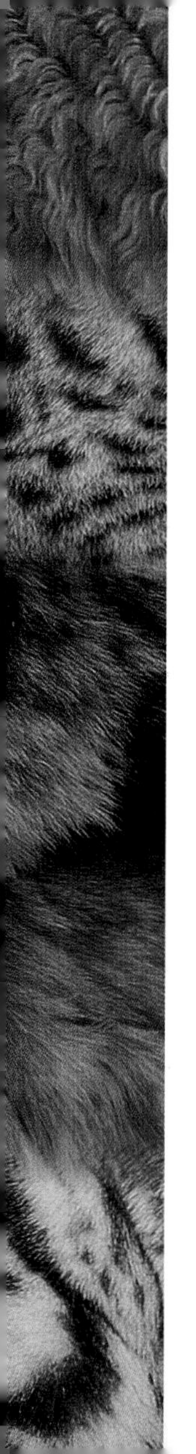

MUNCHKIN

Ce chat original, apparu récemment, fait l'objet d'une controverse car il est doté de pattes très courtes. Cette caractéristique n'ayant apparemment aucune incidence sur les autres os, les défenseurs de la race prétendent qu'elle n'a aucun effet secondaire sur la santé de l'animal ; seul le temps pourra dire si tel est le cas. La colonne vertébrale souple des félins évitera peut être à ce spécimen de souffrir des problèmes de dos et de hanche qui affectent les chiens à courtes pattes.

Oreilles triangulaires, de largeur moyenne

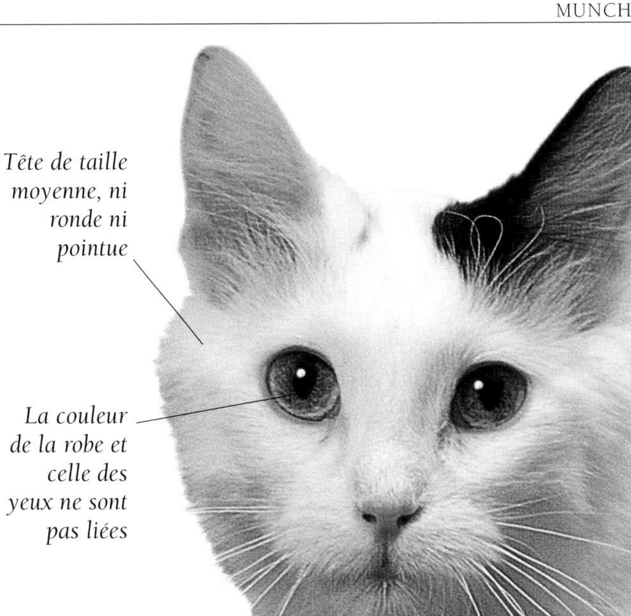

Tête du munchkin

Dessinée selon un triangle presque équilatéral, elle est qualifiée par le standard de « moyenne » ou « modérée ». Au fur et à mesure du développement de la race, ces critères risquent d'être révisés.

Chaton noir et blanc

On peut dès la naissance reconnaître un chaton munchkin. Les amateurs de la race affirment que la caractéristique la plus agréable de ce chat n'est pas son physique, mais sa personnalité. Selon eux, les munchkins conservent un comportement de chaton, curieux et joueur, tout au long de l'âge adulte.

Roux et blanc
Chez le munchkin, toutes les couleurs et les marques sont admises – il est difficile de limiter ces dernières alors que des chats sans pedigree ont été utilisés pour la création de la race. Les tabbys et bicolores se rencontrent plus fréquemment que les pelages de type oriental.

UN PEU D'HISTOIRE De nombreuses espèces animales donnent naturellement naissance à des individus nains. Le munchkin est né d'une mutation survenue en Louisiane, aux États-Unis, en 1983. Alors que les éleveurs élaboraient la race, en croisant les spécimens dotés de cette mutation avec des chats sans pedigree, la controverse naquit et s'enfla. En 1995, la T.I.C.A. accorda au munchkin. un statut de « race nouvelle » au standard très ouvert – c'est aujourd'hui la seule organisation importante à avoir franchi ce pas. Les éleveurs des autres races avec pedigree craignent que cette expérience entraîne la création de versions naines de leurs chats. Le standard de la T.I.C.A. interdit aujourd'hui tout croisement de munchkin avec d'autres chats à pedigree, et aucun registre n'accepterait de version naine de races existantes.

Grands yeux en forme de noix, au regard attentif

CARTE D'IDENTITÉ

DATE D'ORIGINE années 1980

LIEU D'ORIGINE États-Unis

ASCENDANCE chats de compagnie

CROISEMENTS ULTÉRIEURS chats sans pedigree

AUTRE NOM aucun

POIDS 2,25 à 4 kg

CARACTÈRE curieux, attachant

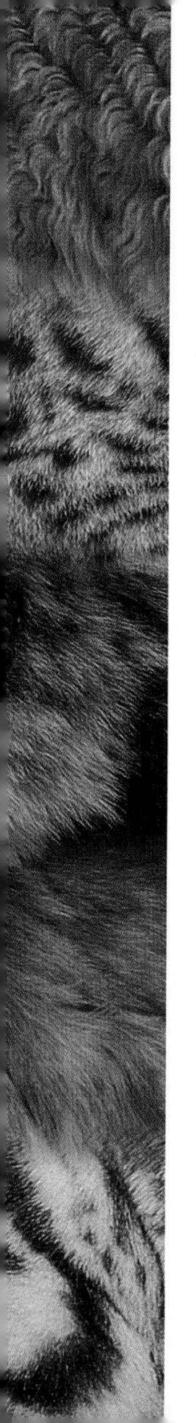

SCOTTISH FOLD

Doté d'oreilles dont le pavillon est replié vers l'avant, particularité due à une mutation, le scottish fold à poil long possède une robe riche et lustrée, somptueuse en hiver, lorsque la collerette, la culotte et la queue sont particulièrement fournies. Tous les chatons naissent avec des oreilles droites, qui commencent à se replier au bout de trois semaines. Des problèmes articulaires surviennent parfois lors de croisements entre deux scottish folds ; ils apparaissent entre quatre et six mois : il faut vérifier avec douceur si la queue n'est ni trop courte ni trop épaisse.

UN PEU D'HISTOIRE Des chats aux oreilles repliées ou pendantes sont mentionnés depuis plus de deux siècles. Toutefois, tous les scottish folds remontent à un individu unique : Susie, chatte de ferme blanche, née en Écosse en 1961. Deux généticiens, Pat Turner et Peter Dyte, supervisèrent les débuts de l'élaboration de la race ; ils découvrirent que Susie possédait le gène responsable du poil long, qui pouvait être porté par des chatons à poil court et n'apparaître qu'au bout de plusieurs générations.

COULEURS DE ROBE

toutes couleurs et marques, y compris colourpoint, sépia et vison

BRUN TABBY — ROUX TABBY — LILAS — BLANC

Pelage semi-long ou long, gonflant et doux

Fumé bleu et blanc
Ce spécimen ne correspond pas parfaitement au standard : les oreilles ne sont pas tout à fait collées au crâne et la face laisse apparaître des marques tabby plutôt que le bleu uniforme requis.

Tête bien arrondie, aux joues proéminentes et aux favoris épais

Écaille tabby et blanc

La combinaison écaille-de-tortue et tabby est également appelée « patched tabby » par la C.F.A. ou « tortie » par la T.I.C.A. Les marques tabby doivent apparaître nettement à la fois sur les taches brunes et rousses, qui sont plus grandes et mieux définies sur les pelages bicolores tels que celui-ci.

Pelage gonflant et doux

Carte d'identité

Date d'origine 1961

Lieu d'origine Écosse

Ascendance chats de ferme, shorthairs britanniques et américains

Croisements ultérieurs shorthairs britanniques et américains

Autre nom highland fold

Poids 2,4 à 6 kg

Caractère paisible et confiant

Petites oreilles au bout arrondi, repliées sur la tête

Pattes de longueur moyenne, d'une solide élégance

REX SELKIRK

Ce spécimen est probablement le plus spectaculaire des rex. Il partage avec le la *perm (p. 142)* une robe longue mais son aspect est unique. Les individus porteurs à la fois du gène responsable du pelage rex et du gène déterminant le poil raide ont une fourrure hérissée et bouclée. Le rex selkirk possède tous les types de poils, qu'il perd aussi abondamment qu'un persan à la période de la mue *(p. 16)*.

Écaille-de-tortue shaded
Bien que les chatons aient, dès la naissance, un aspect frisé, les boucles peuvent disparaître et laisser quelque temps place à un pelage en bataille.

Tête de selkirk

Au contraire des autres races de rex, le selkirk présente un aspect rond et solide. Il a un museau court et large, au stop bien marqué, et des joues très rebondies. La couleur des yeux est indépendante de celle de la robe.

COULEURS DE ROBE

toutes couleurs et marques, y compris colourpoint, sépia et vison

CRÈME BLANC BLEU

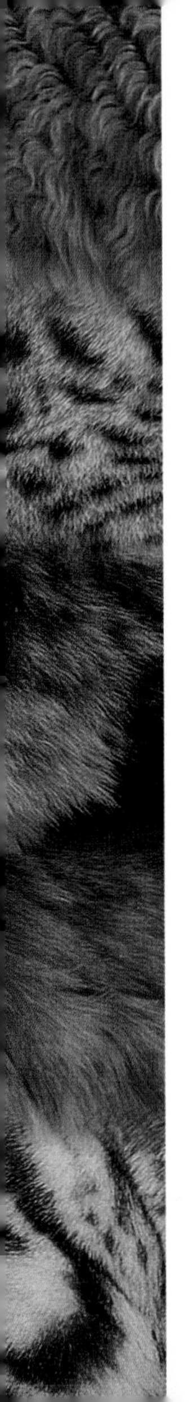

UN PEU D'HISTOIRE Le selkirk, dernier rex créé, est apparu en 1987. Il descend d'une chatte à poil court, née au sein d'une portée de chatons sans race définie dans un refuge du Montana, aux États-Unis. Adoptée par la famille de Jeri Newman, éleveuse de persans, cette chatte fut accouplée à un persan champion de couleur noire. Cette union donna une portée de petits au pelage à la fois raide et frisé. Cette variété montre non seulement que le gène responsable du pelage rex est dominant, mais que la chatte était aussi porteuse du gène récessif déterminant le poil long. Depuis le début, le selkirk à poil court cohabite avec le selkirk à poil long – ces deux « versions » sont aujourd'hui nettement séparées. On continue à croiser le selkirk avec des persans.

Roux shaded tabby
Les boucles du pelage révèlent un sous-poil blanc qui rend cette variété de robe beaucoup moins spectaculaire que celle des chats à poil long et raide. Les marques tabby sont atténuées par les boucles ; le standard réclame qu'elles soient le plus apparentes possible. Lignes du front et lunettes restent clairement lisibles.

CARTE D'IDENTITÉ

DATE D'ORIGINE 1987

LIEU D'ORIGINE États-Unis

ASCENDANCE persan, shorthairs britanniques, américains et exotiques

CROISEMENTS ULTÉRIEURS races apparentées avec pedigree

AUTRE NOM aucun

POIDS 3 à 5 kg

CARACTÈRE patient et tolérant

Queue épaisse, s'effilant doucement jusqu'à l'extrémité arrondie

Oreilles de taille moyenne, pointues et bien écartées
Corps musclé et rectangulaire, à l'arrière-train légèrement surélevé

TURC VAN

Ce chat au pelage doux et aux grands yeux a l'apparence d'un chat qui aime rester de longs moments sur les genoux de son maître. Pourtant ce descendant de chats campagnards qui peuplaient une région où la vie était rude a conservé un tempérament très indépendant. Le turc van possède deux spécificités : la couleur réduite de son pelage, si originale qu'elle garde le nom « van » lorsqu'elle apparaît chez d'autres races, et sa réputation de « chat nageur », car il aime l'eau.

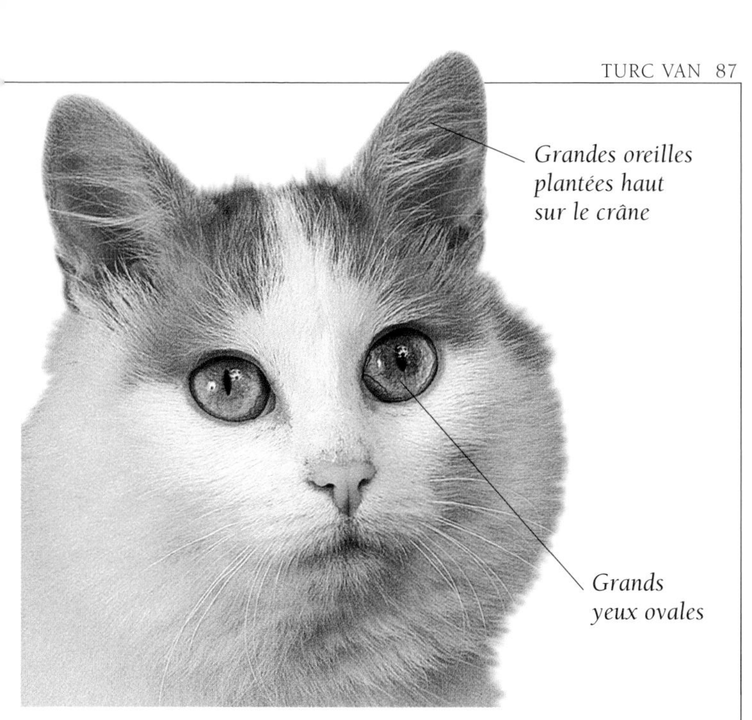

Écaille et blanc

Les vans écaille apparurent lorsque le noir fut injecté dans la race. Les « empreintes digitales » de couleur sur le dessus de la queue sont considérées comme un défaut. La difficulté à atteindre des marques parfaites explique qu'en dépit de la rareté du van un grand nombre de chatons soient produits.

Face du van

Les marques de couleur sur la face du van ne doivent pas descendre au-dessous du niveau des yeux, ou sous la base des oreilles. Le front doit être orné d'une flamme blanche.

COULEURS DE ROBE

BICOLORE (YEUX AMBRE, BLEUS OU IMPAIRS)
auburn, crème, avec blanc
noir, bleu, écaille-de-tortue, bleu crème, avec blanc

Crème

Cette couleur de robe est une version diluée de l'auburn. Le pelage doux du van, imperméable, tend à se « casser » sur toutes les courbes du corps, se réorganisant au fur et à mesure de chaque mouvement.

Un peu d'histoire L'histoire moderne de ce chat commença par l'importation de deux spécimens en Grande-Bretagne, en 1955. La race se répandit à travers l'Europe. En 1982, le turc van fut introduit aux États-Unis, où il est aujourd'hui admis par la C.F.A. et la T.I.C.A. Chez le G.C.C.F., seuls sont enregistrés l'auburn et le crème. Les autres registres acceptent les couleurs à base de noir.

Auburn
Chez le turc van la couleur rousse est qualifiée d'auburn. Ce type de pelage, accompagné d'yeux couleur ambre, était celui du spécimen introduit en Occident. Le pelage doit être d'un blanc pur, les marques étant exclusivement réservées au dessus de la tête et à la queue.

Queue très touffue, aussi longue que le corps

Bleu

La couleur bleue peut varier en intensité : ce spécimen est plus sombre que ne l'autorisent la plupart des standards de la race. L'introduction de couleurs nouvelles chez les vans s'est accompagnée de caractéristiques indésirables. La couleur dorée des yeux étant difficile à fixer, des yeux verts sont apparus.

Carte d'identité

Date d'origine avant le XVIIIe siècle

Lieu d'origine région du lac Van, Turquie

Ascendance chats domestiques

Croisements ultérieurs aucun

Autre nom chat turc nageur

Poids 3 à 8,5 kg

Caractère équilibré

Pattes de longueur moyenne, aux extrémités nettes, bien arrondies

Tête triangulaire, au long profil rectiligne
Pelage long et soyeux, dénué de sous-poil

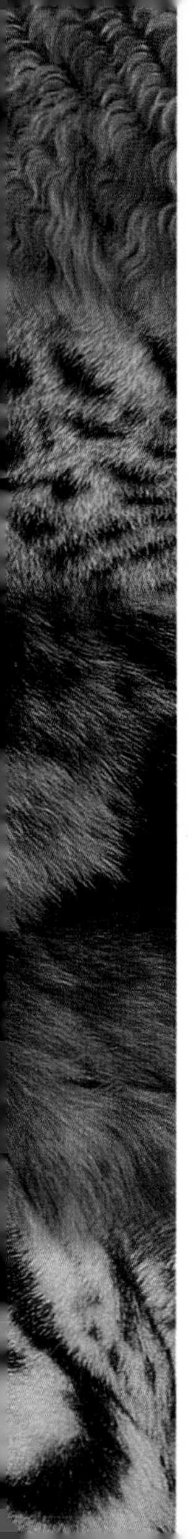

CYMRIC

Solide et doté d'une démarche sautillante de lapin, ce chat est l'équivalent du manx à poil court original *(p. 176)*, à l'exception de la robe, mi-longue et double. Bien qu'il soit apparu en Amérique du Nord, le nom officiel, cymric (à prononcer « kumric »), provient de « cymru », nom du pays de Galles, région qui posséda jadis des chats dépourvus de queue. Les cymrics sont également appelés manx à poil long.

UN PEU D'HISTOIRE Bien que son nom suggère une ascendance galloise, ce chat est purement nord-américain. Les manx ont toujours produit occasionnellement des chatons à poil long : dans les années 1960, les éleveurs travaillèrent pour faire reconnaître ces derniers comme une race à part entière. Ce projet fut réalisé dans les années 1980 par la C.F.A. et la T.I.C.A. – depuis, la C.F.A. a reclassé ce spécimen comme manx à poil mi-long. Le cymric n'est pas reconnu en Grande-Bretagne.

Cymric blanc aux yeux orange

Les yeux du cymric blanc sont d'un bleu profond, d'un cuivre brillant ou vairons. La robe doit être d'un blanc pur, sans traces jaunâtres et sans soupçon de marques.

COULEURS DE ROBE

UNICOLORE ET ÉCAILLE-DE-TORTUE
noir, roux, bleu, crème, blanc, écaille-de-tortue, bleu crème
tous les autres unicolores et écaille

FUMÉ
noir, bleu
tous les autres unicolores et écaille

SHADED ET AVEC TIPPING
shaded silver, chinchilla silver,
tous les autres unicolores et écaille

COLOURPOINT
toutes couleurs et marques colourpoint, sépia et vison

TABBY (CLASSIQUE, TIGRÉ)
brun, roux, bleu, crème, brun tacheté, bleu tacheté
marques mouchetées et tiquetées, tous unicolores et écaille

SILVER TABBY
silver, silver tacheté
toutes les autres couleurs des tabbys standards

BICOLORE (STANDARD ET VAN)
tous unicolores et écaille avec blanc
toutes couleurs et marques avec « points » blancs

NOIR ET BLANC

CHOCOLAT (HORS C.F.A.)

ROUX TABBY

BLEU

Brun tabby tigré et blanc
La couleur de la robe et les marques comptent relativement peu dans l'évaluation du standard du cymric. Il est en revanche indispensable que le spécimen n'ait pas de queue et présente un aspect « arrondi » : tête ronde et joufflue, au museau gonflé. Deux années sont parfois nécessaires pour que le chaton ait son aspect d'adulte.

Carte d'identité

Date d'origine années 1960

Lieu d'origine Amérique du Nord

Ascendance manx

Croisements ultérieurs manx

Autre nom manx à poil long

Poids 3,5 à 5,5 kg

Caractère équilibré et affectueux

NEBELUNG

La robe bleue au tipping argenté donne à ce chat une lumineuse élégance. Le reflet des poils de jarre crée une sorte d'incandescence brumeuse. Ce n'est que lorsqu'on caresse l'animal à rebrousse-poil qu'on remarque la couleur bleue de la base du pelage. Le nebelung, dont le nom signifie en allemand « créature de brume », est issu d'une lignée « perdue » de bleu russe (*p. 224*).

COULEUR DE ROBE
UNICOLORE
bleu

Tête triangulaire, au front plat et au profil rectiligne

Tête du nebelung
La face s'orne d'un léger sourire. À l'âge de quatre mois, un anneau vert apparaît autour de l'iris jaune, qui devient progressivement vert jusqu'à la maturité.

UN PEU D'HISTOIRE Les bleus russes à poil court et à poil long furent exposés pour la première fois il y a plus de cent ans. Les chats à poil court devinrent célèbres sous le nom de bleus russes, mais les spécimens à poil long perdirent leur identité propre. En 1986, Siegfried, matou fondateur des nebelungs, fut accouplé à sa sœur à poil long, qui produisit des chatons bleus. La race fut reconnue par la T.I.C.A. en 1987 et par la C.F.A. en 1993.

Oreilles larges à la base, au bout légèrement arrondi

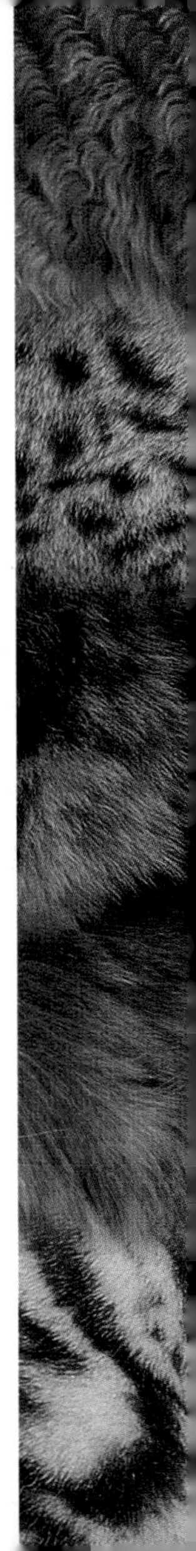

Carte d'identité

Date d'origine 1986

Lieu d'origine États-Unis

Ascendance bleus russes

Croisements ultérieurs bleus russes

Autre nom aucun

Poids 2,25 à 5 kg

Caractère réservé

Pelage double, fin et de longueur moyenne, dont les poils de jarre s'ornent d'un tipping argenté

Bleu

Le standard du nebelung est similaire à celui du bleu russe : il réclame un corps élancé, un tipping argenté (extrémité des poils plus foncée) et un pelage double mi-long.

ANGORA TURC

Athlétique et gracieux à la fois, doté d'une ossature délicate et d'une robe soyeuse, ce chat répond aux critères en vogue aujourd'hui. De taille petite ou moyenne, son corps musclé est couvert d'un pelage simple qui semble vibrer lorsqu'il se déplace. Vif, alerte et agile, ce spécimen descendrait, dit-on, de chats sauvages d'Asie centrale (les Tartares auraient domestiqué le chat de Pallas et l'auraient emmené en Turquie, mais cette thèse est très peu probable). Son pelage mi-long est sans doute le résultat d'une mutation qui s'est produite au fil des siècles chez des chats isolés de l'Asie centrale.

Fumé écaille-de-tortue
Des angoras turcs fumés furent répertoriés pour la première fois à la fin du XIXe siècle. Au repos, ces chats doivent avoir un aspect entièrement coloré, le sous-poil n'apparaissant que lorsque l'animal est en mouvement. La perte du long poil en été atténue cet effet.

Tête d'angora turc
La tête forme un triangle doux, le museau s'effilant gracieusement jusqu'à la truffe. Les yeux peuvent être de couleur ambre, dorés, verts ou bleus

COULEURS DE ROBE

UNICOLORE ET ÉCAILLE-DE-TORTUE
noir, roux, bleu, crème, écaille-de-tortue, bleu crème, blanc
tous les autres unicolores et écaille

FUMÉ
mêmes couleurs que les unicolores et écaille, sauf blanc

TABBY (CLASSIQUE, TIGRÉ)
brun, roux, bleu, crème
marques mouchetées et tiquetées, tous les autres unicolores et écaille

SHADED
mêmes couleurs que pour les unicolores et écaille, sauf blanc

SILVER TABBY (CLASSIQUE ET TIGRÉ)
silver
marques mouchetées et tiquetées, autres unicolores et écaille

BICOLORE
mêmes couleurs que les unicolores et écaille avec blanc
toutes les autres couleurs et marques avec du blanc

ROUX

BLEU TABBY

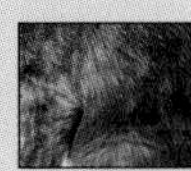

BLEU CRÈME

SILVER SHADED

Un peu d'histoire Les angoras issus de Turquie atteignirent la France et la Grande-Bretagne au XVIIe siècle. Au début du XXe siècle, des croisements répétés avec d'autres chats à poil long conduisirent à l'extinction presque totale de ce spécimen hors de la Turquie – l'angora turc aurait été sauvé par un programme d'élevage du zoo d'Ankara. Toutefois, des éleveurs suédois, britanniques et américains importèrent des angoras de Turquie après la Seconde Guerre mondiale. L'angora turc est désormais une race protégée dans son propre pays.

Noir

Le pelage de l'angora turc noir doit être d'un noir de charbon, de coloration uniforme sur toute la longueur du poil. Comme chez tous les chats, la couleur tend à roussir au soleil et retrouve sa nuance profonde lors de la mue.

Pelage fin et soyeux, pratiquement dénué de sous-poil

Roux shaded

Le gène inhibiteur est présent depuis des siècles chez l'angora turc. Combiné au gène agouti, il donne des couleurs argentées (silver ou shaded) ; ces dernières ne sont pas reconnues par la C.F.A. mais le sont par la T.I.C.A. et la F.I.Fé. En été, lors de la mue, le reflet argenté devient plus apparent, en particulier sur le museau.

Écaille et blanc

La robe de type van, bicolore, avec prédominance du blanc, est très fréquente. Chez les angoras bicolores, le dessous du corps doit être uniformément blanc, et les taches rousses et noires équitablement réparties.

CARTE D'IDENTITÉ

DATE D'ORIGINE XVe siècle

LIEU D'ORIGINE Turquie

ASCENDANCE chats domestiques

CROISEMENTS ULTÉRIEURS aucun

AUTRE NOM aucun

POIDS 2,5 à 5 kg

CARACTÈRE extraverti et énergique

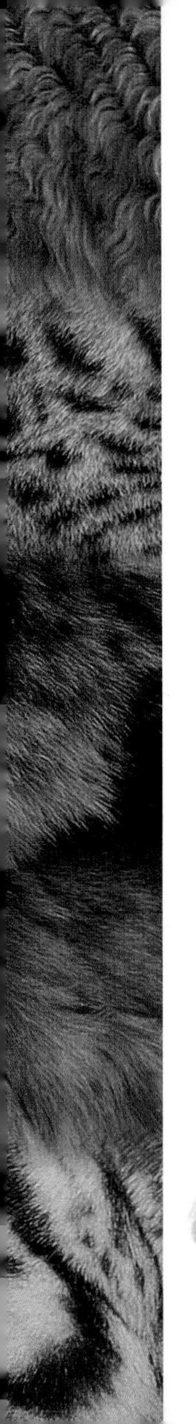

SOMALI

Pourvu d'une queue touffue et d'un dos arqué, ce chat fait partie de l'une des plus populaires parmi les nouvelles races créées. Il possède, comme son précurseur à poil court, l'abyssin *(p. 232)*, un pelage tiqueté : chaque poil de son corps possède de trois à douze bandes de couleurs. Les bandes plus sombres produisent un miroitement lorsque l'animal arbore son pelage d'hiver. Les marques de la tête, frappantes, évoquent un maquillage théâtral.

Lilas
Le pelage aux nuances chaudes du lilas a une base couleur avoine, aux tiquetures lilas. La truffe et les coussinets doivent être bleu-mauve.

Face du somali

Tous les somalis ont des yeux cerclés de noir entourés de « lunettes » plus claires. La face possède également des marques tabby peu foncées sur le front et les joues. Ce jeune silver noir présente une légère patine qui devrait s'effacer avec l'âge. Les somalis silver possèdent un poitrail et un ventre blancs.

Collerette typique

Couleurs de robe

TABBY (TIQUETÉ)
habituel, chocolat, sorrel (roux), bleu, lilas, fauve, crème, écaille-de-tortue habituel, écaille chocolat, écaille sorrel, écaille bleu, écaille lilas, écaille fauve

SILVER TABBY (TIQUETÉ)
toutes les couleurs précédentes

BLEU

SORREL (ROUX)

CRÈME

Un peu d'histoire

Ce spécimen est issu de chats britanniques. Il arrive que des abyssins, chats à poil court, procréent des chatons à poil long. Dans les années 1940, l'éleveuse Janet Robertson exporta des abyssins en Amérique du Nord et en Australie ; des descendants produisirent des chatons crépus, de couleur sombre. Dans les années 1960, un Canadien obtint les premiers somalis reconnus. La race fut développée aux États-Unis à la fin des années 1970. Les somalis apparurent en Europe dans les années 1980 ; en 1991, ils avaient atteint une reconnaissance internationale.

Tête peu anguleuse, aux lignes souples et au stop légèrement marqué
Fauve
En été, le somali mue et se transforme en chat à poil court. Version atténuée du sorrel, il a un sous-poil abricot et des tiquetures fauves.
Corps de taille moyenne, élancé et musclé
Extrémités rondes et touffues

Carte d'identité

Date d'origine 1963

Lieu d'origine Canada et États-Unis

Ascendance abyssins

Croisements ultérieurs aucun

Autre nom abyssin à poil long

Poids 3,5 à 5,5 kg

Caractère calme, mais extraverti

Le « ticking » est constitué d'au moins trois bandes sombres sur chaque poil.

Lièvre

Baptisée « usual » en Grande-Bretagne, et « ruddy », aux États-Unis, cette variété fut l'une des premières acceptées dans les expositions. La base du poil est de couleur abricot, alternant avec des tiquetures noires. Ce spécimen est surnommé « chat-renard ».

Grandes oreilles bien écartées et incurvées, couvertes de poils
Pelage doux, fin, semi-long
Membres allongés aux extrémités ovales et touffues

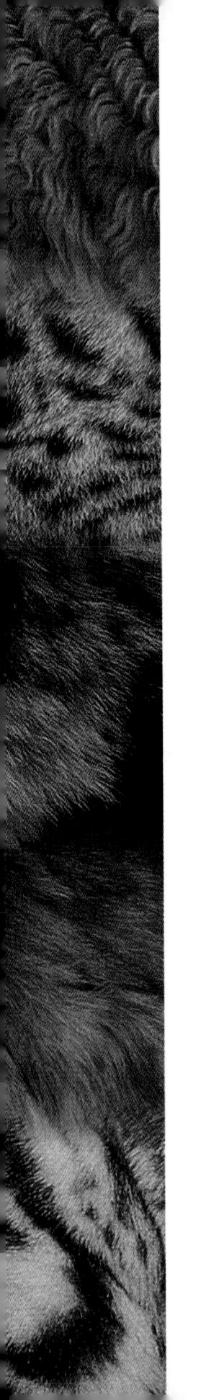

CHANTILLY-TIFFANY

Encore extrêmement rare, le chantilly est moins calme que le persan et moins actif que les chats orientaux à poil long. Il communique son contentement à l'aide d'une petite vocalise charmante qui évoque un roucoulement de pigeon. Les premiers spécimens de la race étaient de couleur chocolat, mais aujourd'hui le chantilly existe dans toutes les variétés de couleurs et son pelage s'orne de toutes les marques tabby. La robe simple, mi-longue, n'atteint son aspect adulte que vers l'âge de deux ou trois ans.

COULEURS DE ROBE

UNICOLORE ET ÉCAILLE-DE-TORTUE
chocolat, cannelle, bleu, lilas, fauve

TABBY (TIGRÉ, MOUCHETÉ ET TIQUETÉ)
mêmes couleurs que pour les unicolores

Chaton chocolat tabby
Bien que cette race soit souvent considérée comme unicolore, il existe également des variétés tabby. Les chatons mettent un certain temps à développer leur potentiel : la couleur des yeux, en particulier, peut mettre des années à atteindre son intensité définitive.

UN PEU D'HISTOIRE Ce chat sociable et docile, aujourd'hui célèbre, est assez ancien mais son histoire reste très confuse. En 1967, à New York, Jennie Robinson acquit un couple de chats à poil long d'origine inconnue – leur couleur indiquait qu'ils avaient des ancêtres birmans. Une éleveuse de Floride acheta ces chats et les baptisa Tiffany. Celle-ci élevant aussi des burmeses, les deux races furent associées. En 1988, à Alberta, au Canada, ces spécimens furent considérés comme une dérivation de l'angora (*p. 132*).

Oreilles de taille moyenne, larges à la base, aux bouts arrondis

Carte d'identité

Date d'origine années 1970

Lieu d'origine Canada et États-Unis

Ascendance incertaine

Croisements ultérieurs angoras, havanas, nebelungs, somalis

Autre nom oriental à poil long

Poids 2,5 à 5,5 kg

Caractère doux et équilibré

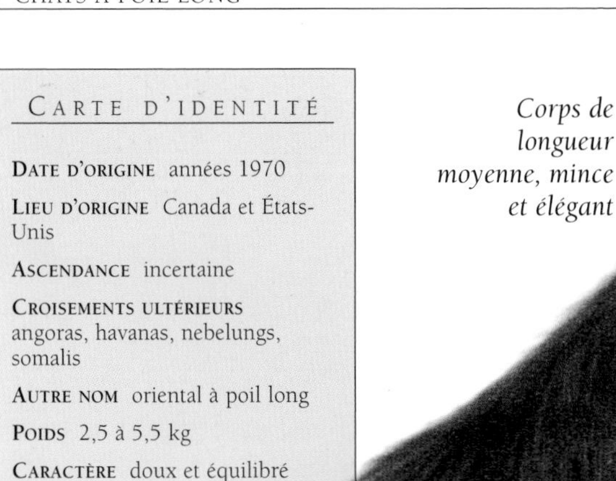

Chocolat

La couleur de robe originale du chantilly a suscité un surnom évocateur : « délice de l'amateur de chocolat ». Ses nuances profondes mettent en valeur l'intense lueur dorée des yeux. La truffe, les coussinets et les moustaches sont assortis à la robe.

Tête triangulaire, au profil courbe, indenté au niveau des yeux
Membres de longueur moyenne, bien musclés mais non trapus
Robe mi-longue, fine et soyeuse

TIFFANY

Le tiffany est parfois confondu avec son homonyme américain *(p. 112)*, alors qu'il n'a rien à voir avec cette race. Sorte de burmese à poil mi-long, il est issu de croisements entre le persan chinchilla et le burmese. Seule la longueur du pelage lui vient du persan, car il tient sa morphologie du burmese. Mais son caractère combine à merveille les qualités de ses deux ancêtres, car il se montre moins placide que le persan et plus réservé que le burmese. Le standard de la race met l'accent sur son tempérament équilibré. Le tiffany mériterait une plus grande popularité que celle qu'il connaît actuellement.

COULEURS DE ROBE

UNICOLORE (ET SÉPIA)
noir, chocolat, roux, bleu, lilas, crème, caramel, abricot, écaille noir, écaille chocolat, écaille bleu, écaille lilas, écaille caramel

SHADED (ET SÉPIA)
mêmes couleurs que précédemment

TABBY (ET SÉPIA, TOUTES MARQUES)
brun, chocolat, roux, bleu, lilas, crème, caramel, abricot, écaille noir, écaille chocolat, écaille bleu, écaille lilas, écaille caramel

Robe semi-longue, fine et soyeuse

Brun

Cette couleur est souvent cause de la confusion entre ce chat et le chantilly-tiffany. Bien que la robe ait un aspect chocolat, elle est en fait noire, légèrement dégradée par une ébauche de « points » sépia, et correspond à la variété zibeline du burmese. Le « pointing » sépia est admis chez les tiffanys unicolores.

Tête en forme de triangle court, au stop bien marqué

Bleu silver shaded

Les tiffanys shaded sont les équivalents à poil long du burmilla (burmese et chinchilla) et présentent le type de pelage des chats d'Asie du Sud-Est. Les membres de ce groupe, baptisé « asian » par les Britanniques, ont la même conformation ; seules leurs couleurs, leurs marques ou leur longueur de robe diffèrent.

UN PEU D'HISTOIRE Le tiffany est le seul chat à poil long du groupe des « asians », ainsi baptisé par les éleveurs de Grande-Bretagne pour désigner les chats apparus en Asie du Sud-Est. L'origine de ce groupe remonte à l'accouplement accidentel, en 1981, d'un persan chinchilla avec un burmese lilas. Les descendants de la première génération étaient tous des burmillas à poil court shaded, mais des descendants de ces chats présentaient un long poil et une ébauche de « points » sépia. Ce groupe, développé avec l'aide d'éleveurs de burmeses, reste bien distinct de ces derniers. Il rassemble deux courants distincts : la F.I.Fé. reconnaît des chats de lignées admises par la G.C.C.F., mais d'autres lignées sont aujourd'hui utilisées en Grande-Bretagne.

Corps de structure moyenne, au dos droit, puissamment musclé

Queue longue ou moyenne, au panache élégant

CARTE D'IDENTITÉ

DATE D'ORIGINE années 1970

LIEU D'ORIGINE Grande-Bretagne

ASCENDANCE croisements entre burmeses et chinchillas

CROISEMENTS ULTÉRIEURS burmeses et chinchillas

AUTRE NOM aucun

POIDS 3,5 à 6,5 kg

CARACTÈRE vif et affectueux

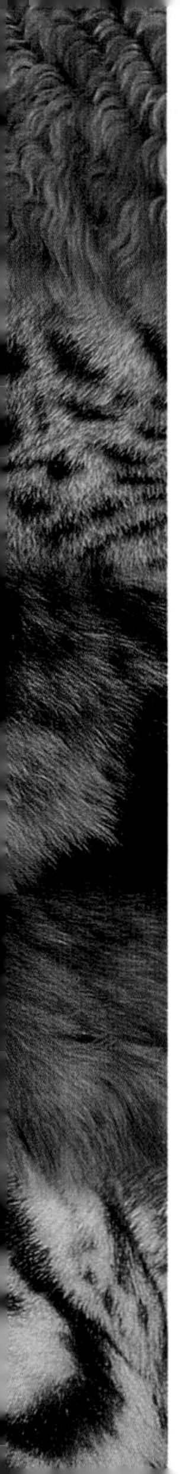

BALINAIS

De structure délicate, fin et élancé, le balinais, au port royal, est en fait un chat très sociable, adorant la compagnie et l'agitation. Très curieux, il se montre infatigable lorsqu'il explore les placards, les machines à laver ou les sacs à provisions. Son corps tubulaire lui permet d'accomplir des prodiges. Les vétérinaires savent que le balinais est, comme le siamois *(p. 280)*, un remarquable contorsionniste, apparemment capable d'ouvrir les portes. Très énergique, ce spécimen a besoin d'une stimulation à la fois mentale et physique. Chat colourpoint typique, il possède des poils mi-longs et ressemble à un siamois, si l'on excepte le plumet gracieux de sa queue.

COULEURS DE ROBE

COLOURPOINT BALINAIS
seal point, chocolate point, blue point, lilac point

COLOURPOINT JAVANAIS (C.F.A.)
roux, crème, plus versions écaille et tabby de toutes couleurs
cannelle, fauve, fumé, silver

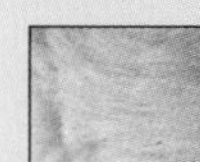

ROUX TABBY

ÉCAILLE BLEU

Lilac point

Version diluée du chocolat, le lilac point est un bijou de délicatesse. La robe magnolia aux nuances chaudes s'orne de douces teintes lilas, tandis que la truffe et les coussinets, rosâtres ou lilas clair, sont assortis aux « points ». Pour toutes ces couleurs, les yeux doivent être d'un bleu clair et vif. Au sein des diverses associations nord-américaines, cette couleur est généralement baptisée lilac point, voire parfois lavender point (lavande) ou frost point (givre).

Tête du balinais
Regardée de face, la tête du balinais, large entre les oreilles, s'effile brusquement jusqu'à la pointe du museau. De profil, le museau doit être rectiligne et le menton bien dessiné. Ce spécimen seal point écaille s'orne d'un masque pleinement développé.

Blue point

Le standard du blue point réclame un corps d'un blanc de neige, aux « points » et aux reflets bleu foncé, assortis à la truffe et aux coussinets. Le blue point est très différent du lilac point.

Seal point

Des « points » marron foncé et de délicates nuances fauves sur le corps caractérisent le seal point ; la couleur de sa robe est moins chaude que celle du chocolate point.

Carte d'identité

Date d'origine années 1950

Lieu d'origine États-Unis

Ascendance siamois à poil long

Croisements ultérieurs siamois aux États-Unis, angoras en Grande-Bretagne

Autre nom javanais (aux États-Unis, pour certaines couleurs)

Poids 2,5 à 5 kg

Caractère extraverti et énergique

Corps de taille moyenne, élancé et gracieux

Chocolate point
Comme chez tous les chats colourpoint, la robe fonce avec l'âge : une carrière d'animal de concours peut se révéler très courte. Le « shading » de ce spécimen, qui fut un champion, est devenu trop marqué.

Un peu d'histoire Les siamois produisent depuis longtemps des chatons à poil mi-long : dès 1928, un siamois à poil long fut enregistré par la C.F.A. en Grande-Bretagne. Après la Seconde Guerre mondiale, une éleveuse de Californie produisit des siamois à poil long, qui furent exposés en 1955 et enregistrés en 1961. Les éleveurs de siamois protestèrent contre l'utilisation du nom « siamois » et le nouveau chat fut baptisé balinais, car il évoquait, pour un éleveur, les danseuses de Bali.

JAVANAIS

À l'origine, seules les variétés seal point, blue point, chocolate point et lilac point étaient reconnues chez le balinais comme chez le siamois. Les éleveurs entreprirent ensuite d'élaborer les autres variétés de type colourpoint que nous connaissons aujourd'hui. En Grande-Bretagne et en Australie, le nom de balinais désigne toutes les variétés ; en Amérique du Nord, la C.F.A. ne reconnaît toujours que les quatre couleurs « traditionnelles » ; les autres nuances, sont classées séparément. Les chats à poil long sont baptisés javanais, et ceux à poil court colourpoint shorthairs.

Chocolate point écaille

Les taches du chocolate point écaille sont un mélange de marron clair et de différentes nuances de roux.

Flammes faciales admises
Nez et coussinets présentent un mélange de marron et de rose

Seal point tabby

Le seal point tabby est incontestablement shaded, son corps de couleur crème, qui ne doit présenter aucun vestige de marques tabby, évoluant vers un fauve pâle sur le dos. Des marques tabby couvrent la tête, les membres et la queue.

Blue point tabby

Le blue point doit avoir le nez bleu, mais le blue point tabby peut avoir un nez rose ourlé de bleu. Les yeux répondent au même standard que les chats aux extrémités unicolores.

Seal point écaille

Orné d'extrémités brun phoque mêlées de roux, ce spécimen est le plus foncé des colourpoints écaille. Chaque « point » doit présenter un mélange de couleurs, mais ces couleurs ne doivent pas forcément être d'importance équivalente.

Seal point écaille tabby

Les extrémités doivent présenter à la fois des marques tabby et des couleurs mélangées. Le « shading » du corps doit être inégal, comme chez les colourpoints tabby. Chez ces variétés tabby ou écaille tabby, plusieurs tonalités sont admises.

Chocolate point tabby

Les colourpoints tabby présentent des marques faciales nettes, des taches régulières au niveau des moustaches et un maquillage noir autour des yeux. Les pattes et la queue sont rayées ou annelées, mais il est difficile d'identifier la nature des marques tabby chez un chat de type colourpoint.

Corps vierge de toute marque

Queue rayée ou annelée

ANGORA

L'angora est vif et curieux comme les autres chats orientaux. Fin et élancé, il possède une queue élégamment touffue. Sa robe soyeuse ne recouvre aucun sous-poil, aussi est-elle facile à entretenir. Des croisements sont autorisés avec le siamois *(p. 280)*, le balinais *(p. 120)* et l'oriental à poil court *(p. 292)*. Ce chat souffre d'une profusion de noms, source d'erreurs. Il n'est pas apparenté à l'angora turc *(p. 100)* ; il est baptisé javanais en Europe, mais là encore son nom prête à confusion car certaines associations d'Amérique du Nord utilisent le nom de javanais pour désigner des variétés de balinais aux couleurs non traditionnelles. En Amérique du Nord, le british angora est également baptisé oriental longhair, ce qui pourrait laisser penser qu'il descend de l'oriental shorthair. Aujourd'hui, il existe un oriental à poil long *(p. 138)*, issu de l'oriental à poil court.

Blanc aux yeux bleus

Pour de nombreux amateurs, cette couleur est la nuance classique de l'angora, ou chat français. Les yeux bleus brillants, au regard vif, sont similaires à ceux du siamois.

Couleurs de robe

UNICOLORE ET ÉCAILLE-DE-TORTUE
noir, chocolat, cannelle, roux, bleu, lilas, fauve, crème, caramel, abricot, blanc (yeux bleus, verts, vairons), écaille-de-tortue, écaille chocolat, écaille cannelle, écaille bleu, écaille lilas, écaille fauve, écaille caramel

FUMÉ, SHADED, SILVER SHADED ET AVEC TIPPING
mêmes couleurs que les unicolores et écaille, à l'exception du blanc

TABBY (TOUTES MARQUES)
brun, chocolat, cannelle, roux, bleu, lilas, fauve, crème, caramel, écaille-de-tortue, écaille chocolat, écaille cannelle, écaille bleu, écaille lilas, écaille fauve, écaille caramel

SILVER TABBY (TOUTES MARQUES)
mêmes couleurs que pour les tabbys standards

ÉCAILLE CHOCOLAT TABBY

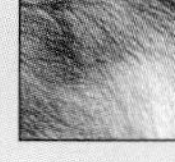
ÉCAILLE CANNELLE TABBY

ÉCAILLE CARAMEL

Corps de taille moyenne, svelte et musclé

Robe fine et soyeuse, dépourvue de sous-poil laineux

Roux silver shaded

Chez les angoras shaded, la base du poil est d'une chaude couleur pâle. Les robes silver shaded, comme celle de ce chat roux, ont une base d'un blanc argenté présentant un contraste frappant avec le « tipping ».

Chocolat

Les nuances chaudes et profondes de cette couleur parent ce chat d'une robe somptueuse. La teinte doit être uniforme sur tout le corps, mais les poils ayant tendance à éclaircir au soleil, les parties longues du chat, telles que la queue, peuvent présenter des zones plus claires.

Carte d'identité

Date d'origine années 1970

Lieu d'origine Grande-Bretagne

Ascendance croisements entre siamois et abyssins

Croisements ultérieurs siamois, balinais, orientaux à poil court

Autres noms javanais (Europe), oriental à poil long (autrefois aux États-Unis)

Poids 2,5 à 5,5 kg

Caractère extraverti et énergique

Cannelle

Le premier angora était de couleur cannelle. Le gène de cette teinte provient de l'abyssin, chez lequel il est désigné sous le nom de « sorrel ». La nuance doit être chaude. Le contour des yeux et la truffe sont assortis à la couleur de la robe.

UN PEU D'HISTOIRE L'angora fut élaboré en Grande-Bretagne par Maureen Silson, qui, au milieu des années 1960, accoupla un abyssin sorrel *(p. 232)* à un siamois seal point pour obtenir un siamois aux « points » tiquetés. Les descendants de ce couple héritèrent à la fois de la couleur cannelle, utilisée pour l'élaboration de l'oriental à poil court, et le gène déterminant le poil long, qui conduisit à la création de l'angora – la majorité des british angoras descendent de ce croisement. Cette race n'est apparentée ni à l'angora du XIXe siècle ni à l'angora turc ; elle n'a rien à voir non plus avec l'oriental à poil long.

Grandes oreilles qui prolongent le dessin de la tête

Extrémités petites et ovales

Membres antérieurs plus courts que les membres postérieurs

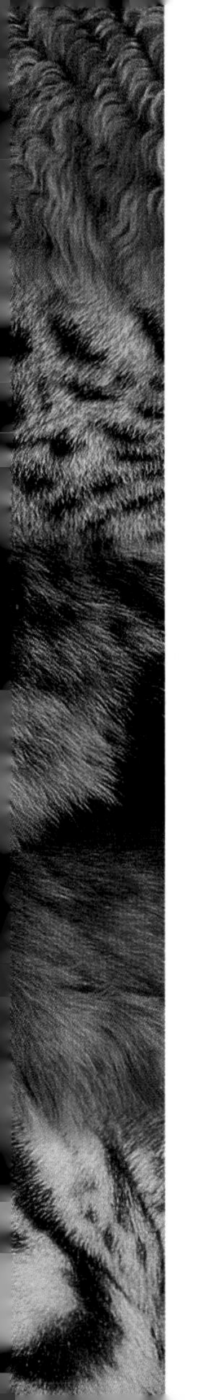

ORIENTAL À POIL LONG

Cet animal magnifique, version à poil mi-long de l'oriental à poil court, complète le quatuor des races orientales. Tout comme le siamois *(p. 242)*, qui trouve chez le balinais *(p. 120)* un cousin à poil mi-long, l'oriental à poil court *(p. 292)* rencontre son parent chez l'oriental à poil long. Ce dernier, dépourvu de sous-poil, s'orne d'un pelage qui tend à se coucher sur la peau. En été, si l'on excepte sa queue touffue, il ressemble à son homologue à poil court. De morphologie typiquement orientale, ce spécimen allie les couleurs traditionnelles des félins de l'Est à la robe soyeuse et à la queue fournie du balinais.

COULEURS DE ROBE

toutes couleurs et marques, à l'exception des colourpoint, sépia et vison
toutes couleurs et marques

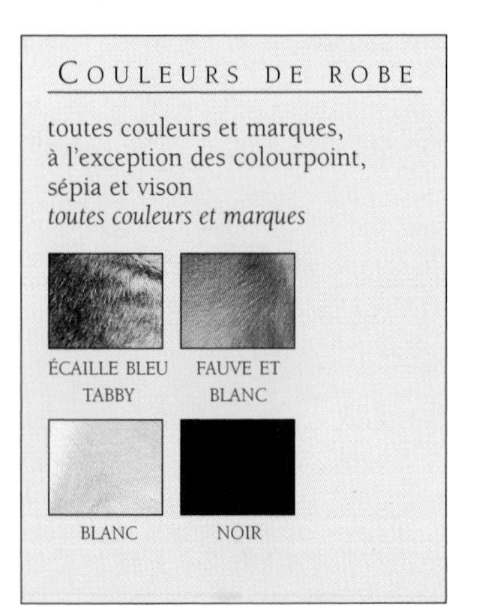

Chestnut (chocolat)

En Amérique du Nord, les variétés d'oriental à poil long reconnues sont celles admises chez l'oriental à poil court. En Grande-Bretagne, chez les chats orientaux, cette couleur est baptisée « havana » (havane), tandis que chez les autres races elle porte le nom de « chocolat ». La robe du chestnut est d'un riche marron foncé, aux nuances plus rouges que celles des autres chats couleur chocolat.

Cou long
et fin
Tête
triangulaire
sans rupture
entre les joues
et le museau
Corps long,
mince et tubulaire
Pattes longues
et minces

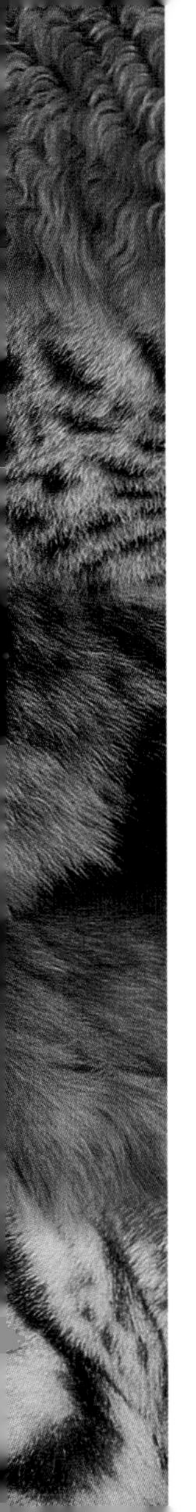

Un peu d'histoire En dépit des efforts des éleveurs pour contrôler les accouplements, les chats créent toujours des surprises. En 1985, un oriental à poil court et un balinais s'unirent pour produire une portée de chats orientaux à poil mi-long soyeux. Ces chatons étaient beaucoup trop jolis pour être ignorés : la race fut alors développée. Elle est désormais reconnue par la T.I.C.A. et la C.F.A. Comme dans le cas des orientaux à poil court, les associations adoptent des attitudes divergentes quant au statut des spécimens de type colourpoint. On confond parfois ce chat avec l'angora *(p. 132)* qu'on appela autrefois oriental longhair en Amérique du Nord, bien que l'histoire et l'aspect de ces deux races soient bien distincts.

Carte d'identité

Date d'origine 1985

Lieu d'origine Amérique du Nord

Ascendance orientaux à poil court, balinais

Croisements ultérieurs siamois, balinais, orientaux à poil court

Autre nom aucun

Poids 4,5 à 6 kg

Caractère amical et curieux

Chocolat silver tabby tiqueté
Les marques tabby tiqueté doivent être nettement lisibles sur la face, les pattes et la queue ; le cou s'orne d'au moins un collier. Le « tipping » argenté dilue la couleur, et le contraste entre le poil et le sous-poil atténue celui qui existe entre les tiquetures et la couleur de fond.

Queue longue et effilée, harmonieusement touffue

Oreilles grandes et pointues, qui prolongent les lignes de la tête
Yeux en amande, de taille moyenne et obliques

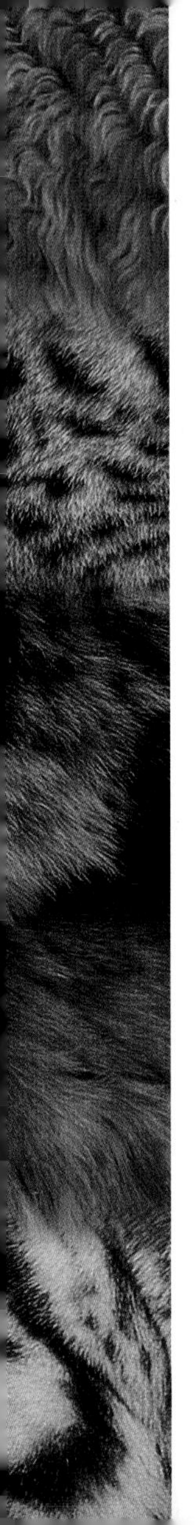

LA PERM

La plupart des races de type rex descendent de spécimens à poil court. Le la perm et le rex selkirk *(p. 82)* sont les seuls chats à poil long et bouclé admis par les grands registres : le rex bohémien, rex à poil long proposé par des éleveurs, n'a jamais été accepté, et le maine coon rex *(p. 46)* est également très controversé. Bien que le la perm descende de chats sans pedigree, il possède une apparence orientale, caractérisée par sa tête triangulaire et son corps élancé. Très actif et curieux, ce chat, qui aime vivre à l'extérieur, ne convient pas aux maîtres recherchant des animaux placides et affectueux. Le la perm qui descend de chats de ferme a de grandes qualités de chasseur.

COULEURS DE ROBE

toutes couleurs et marques, y compris colourpoint, sépia et vison

BLANC

Roux tabby

Parmi les chats se reproduisant en liberté, la proportion de spécimens roux varie selon le lieu. Il existe toutefois peu d'individus roux unicolores, car l'élimination des marques tabby demande un élevage sélectif très rigoureux, qui doit être recommencé depuis le début chez toute race nouvelle.

Poils frisés à la base des oreilles
Grands yeux expressifs, de plantation oblique
Corps de taille moyenne, puissamment musclé
Queue touffue, longue et effilée

Chaton bleu tabby tigré

Le premier la perm naquit chauve et se couvrit ensuite d'une robe de type rex. La plupart des chats de cette race naissent toutefois avec un pelage légèrement bouclé, qu'ils perdent entièrement au cours de leur première année ; les poils repoussent ensuite, plus frisés encore.

Un peu d'histoire En 1982, un chat de ferme de l'Oregon produisit une portée de six chatons qui comprenait un seul chat chauve. En dépit de cet inconvénient, le petit félin survécut et se couvrit bientôt d'un pelage surprenant : au contraire de celui de ses frères et sœurs, il était bouclé et doux au toucher. Au cours des cinq années suivantes, la propriétaire de ces animaux éleva un certain nombre de spécimens au pelage bouclé, à partir desquels fut fondée la race la perm. Le gène déterminant ce poil étant dominant, des croisements avec des races extérieures, destinés à élargir le patrimoine génétique, sont autorisés ; ils permettent d'obtenir un nombre raisonnable de chatons de type rex. Seule la T.I.C.A. reconnaît cette race.

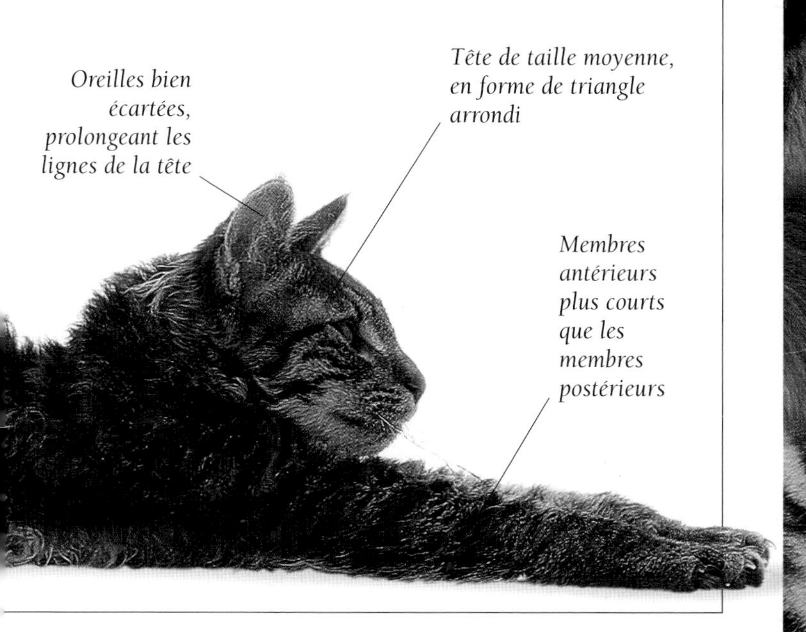

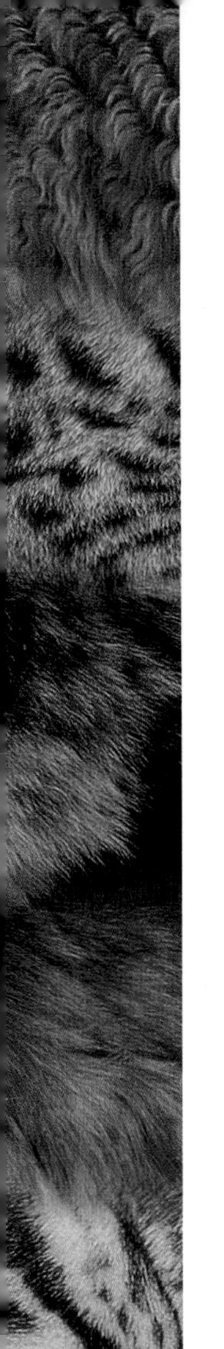

BOBTAIL DES ÎLES KURILE

Les origines et le pays dont ce chat est issu restent sujets à conjectures. L'archipel des îles Kurile, qui relie l'extrémité nord de la Fédération de Russie au sommet d'Hokkaido, île septentrionale du Japon, est revendiqué par les deux nations. Le bobtail des îles Kurile est relativement différent du bobtail japonais *(p. 150)*, bien qu'il arbore la même queue courte. Son pelage, adapté aux hivers très rigoureux, est plus long et plus épais que celui de ses cousins du sud, et sa morphologie est plus solide. Affectueux, il témoigne toutefois d'un caractère indépendant. Le standard de la race n'admet qu'un nombre de couleurs limité.

Pelage semi-long, au sous-poil apparent

Membres solides non trapus, aux extrémités arrondies

Roux unicolore

Le roux lié au sexe, très courant chez les chats de ces régions, est accompagné, dans l'idéal, par des yeux couleur cuivre. Les poils sont plus longs au niveau de la collerette et de la culotte. Les mâles s'ornent souvent d'une tête ronde, aux bajoues bien nettes.

Couleurs de robe

UNICOLORE ET ÉCAILLE-DE-TORTUE
noir, roux, crème, écaille-de-tortue, bleu crème, blanc

FUMÉ, SHADED, ET AVEC TIPPING
mêmes couleurs que pour les robes unicolores et écaille, sauf le blanc

TABBY (CLASSIQUE, TIGRÉ, MOUCHETÉ)
brun, roux, bleu, crème, écaille brun, écaille bleu

SILVER TABBY
mêmes couleurs que pour les tabbys standard

BICOLORE
toutes couleurs admises avec du blanc

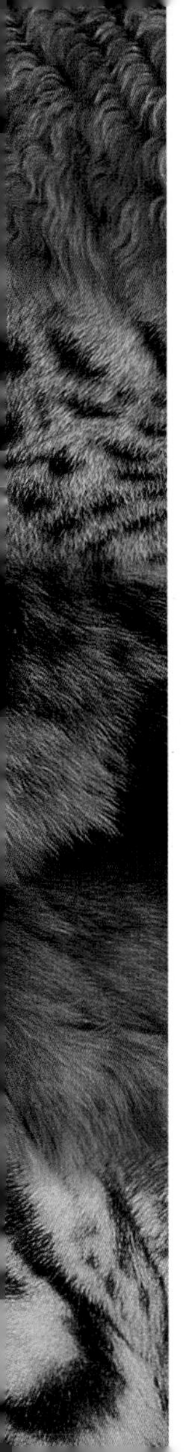

CARTE D'IDENTITÉ

DATE D'ORIGINE avant le XVIIIe siècle

LIEU D'ORIGINE îles Kurile

ASCENDANCE chats domestiques

CROISEMENTS ULTÉRIEURS aucun

AUTRE NOM aucun

POIDS 3 à 4,5 kg

CARACTÈRE actif et amical

Queue courte, bouclée et portée haut

UN PEU D'HISTOIRE Jusqu'à une époque récente, le bobtail japonais était le seul chat à queue courte connu. Grâce à une attitude ouverte des pays de la Fédération de Russie, de nouvelles races sont en train d'émerger, dont le bobtail des îles Kurile. Cette race, qui présente la même mutation que celle de son cousin japonais, existe dans cette région depuis des siècles. Tandis qu'une telle similarité génétique ne cause aucun problème aux associations russes qui admettent le « kurile », elle pourrait être une barrière pour l'enregistrement de la race en Europe.

Écaille et blanc

Les femelles « kurile », comme les mâles, possèdent de larges épaules et des pattes solides et atteignent une taille imposante à l'âge adulte. Les membres antérieurs sont plus courts que les membres postérieurs à la croupe. La queue est constituée d'une boule de longs poils.

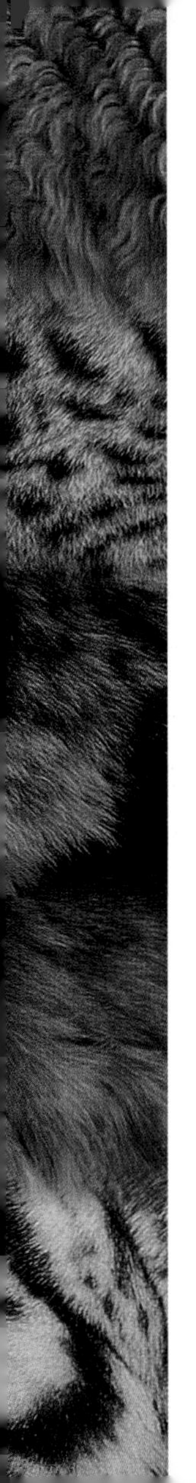

BOBTAIL JAPONAIS

Les bobtails japonais, chats à poil long, sociables et curieux, sont peu nombreux. Les élevages de cette race sont très rares dans le monde, en partie parce que le gène déterminant le poil long est masqué lorsqu'on croise ce spécimen avec des individus à poil court. Les croisements entre un nombre réduit d'animaux à poil long entraînent ainsi une consanguinité trop lourde. Les bobtails japonais ont une queue en forme de pompon duveteux.

COULEURS DE ROBE

UNICOLORE ET ÉCAILLE-DE-TORTUE
noir, roux, écaille-de-tortue, blanc
tous les autres unicolores et écaille, y compris colourpoint, sépia et vison

TABBY
toutes les couleurs avec les quatre marques tabby

BICOLORE
noir, roux, écaille-de-tortue avec du blanc
toutes les autres couleurs et marques, avec du blanc

Face du bobtail
En forme de triangle équilatéral, la face, aux pommettes hautes, présente des courbes harmonieuses. Les yeux vairons sont appréciés en particulier chez les spécimens écaille et blanc, baptisé mi-ke.

UN PEU D'HISTOIRE Ce chat est une variante naturelle du bobtail à poil court *(p. 304)*. De nombreux spécimens des deux types ont été représentés dans des œuvres d'art japonaises au cours des trois derniers siècles. L'histoire documentée de la race ne remonte toutefois qu'à 1968, date à laquelle le bobtail à poil court, porteur du gène déterminant le poil long, fut introduit aux États-Unis. Maintenant que ce dernier est bien implanté en Amérique du Nord, sa version à poil long, plus rare, s'y développe lentement.

Oreilles larges, bien
écartées et dressées
Tête large au stop
harmonieux au niveau
des yeux, et aux coussinets
des moustaches
proéminents

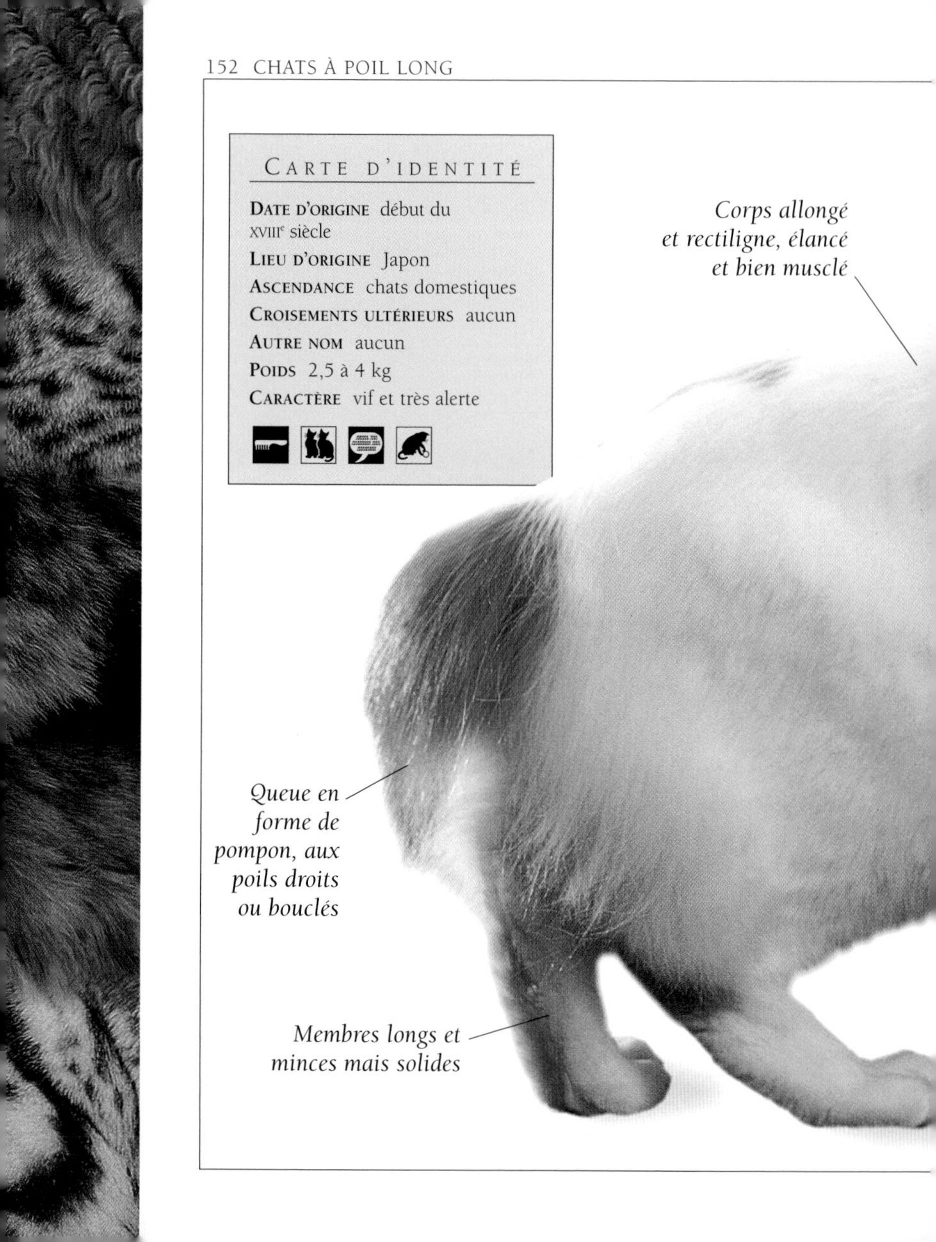

Carte d'identité

Date d'origine début du XVIIIe siècle

Lieu d'origine Japon

Ascendance chats domestiques

Croisements ultérieurs aucun

Autre nom aucun

Poids 2,5 à 4 kg

Caractère vif et très alerte

Roux et blanc

Le bobtail japonais possède une silhouette longue et élancée ; très athlétique, il est puissamment musclé sans être massif. Ses membres minces sont solides, les antérieurs se révélant plus courts que les postérieurs. Les pattes arrière restant pliées lorsque le chat se met debout ou se déplace, le torse garde un aspect presque horizontal.

CHATS SANS RACE DÉFINIE

Les chats domestiques communs, ou chats de gouttière, constituent d'excellents animaux de compagnie. Même dans les pays comptant de nombreuses races à pedigree, il existe quatre fois plus de spécimens « bâtards ». Le caractère d'un animal dépend de ses expériences autant que des traits qu'il a reçus de ses ascendants. Assez peu de chats de gouttière possèdent un pelage long, car le gène qui le détermine est récessif, mais quelques chats sans pedigree ressemblent à des angoras ou à des maine coons.

Bleu

Le bleu est une couleur qui apparaît naturellement chez les chats d'Europe continentale. L'aspect semi-foreign d'un chat comme celui qui est présenté ici indique un héritage commun avec des races d'Europe méridionale, telles que l'angora turc.

Crème et blanc

La couleur crème est plus rare chez les chats de gouttière que la couleur rousse. Chez les spécimens de ces deux couleurs, même les chats unicolores présentent des marques tabby très légères. Les éleveurs de chats à pedigree choisissent délibérément de réduire ces marques et produisent des animaux au pelage uni.

Taches tabby

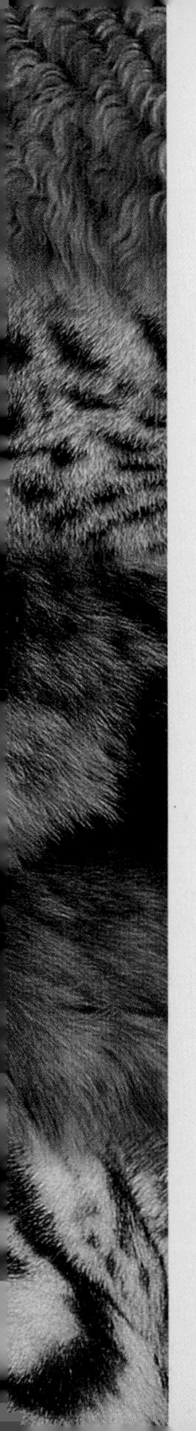

CHATS À POIL COURT

Il y a plusieurs millénaires, les chats domestiques se répandirent de l'Égypte dans le monde entier. Selon leur nouvel environnement, ces animaux évoluèrent différemment. La survie du plus apte, dans les climats froids, favorisa les individus solides, résistants, au pelage dense et imperméable : ils devinrent plutôt compacts et ronds, ce qui donna naissance à la race des british shorthairs. Sous les climats chauds, la sélection naturelle s'exerça en faveur de pelages fins et de corps petits, afin que, par rapport au poids de l'animal, la surface de peau soit importante et permette d'éliminer plus facilement la chaleur excessive de l'organisme : ces spécimens sont baptisés « foreign » (étrangers) ou « orientaux », si leur type est particulièrement marqué.

Des mutations de gènes relatifs au pelage se sont produites régulièrement, puis ont disparu sans intervention de l'homme. Plusieurs chats à poil court ont un pelage « rex » ondulé ; ce dernier fut pour la première fois élaboré chez le rex cornishs *(p. 312)*. De nouveaux programmes d'élevage visent à créer des spécimens d'aspect original plutôt qu'à raffiner ce que la nature a déjà forgé ; nombre de ces races visent à ressusciter le chat sauvage – l'ocicat en est un exemple remarquable.

Siamois

Au départ, c'est la robe colourpoint qui, pour de nombreuses personnes, définissait les siamois. Aujourd'hui, ce type de couleur existant au sein de nombreuses autres races, c'est plutôt le corps filiforme des siamois qui permet de définir cette race.

Européen à poil court

Comme ses homologues britannique et américain, ce chat se développa naturellement, au long de plusieurs siècles, chez des populations de chats domestiques communs. Ce type a été préservé et perpétué par les éleveurs au XXe siècle.

EXOTIC SHORTHAIR

D'aspect effectivement exotique, cette version à poil court du persan *(p. 16)* a le tempérament placide, la voix douce et la morphologie de son homologue à poil long, mais il possède une robe très originale, ni courte ni tout à fait mi-longue. Les croisements avec des races extérieures ont donné à ce chat un caractère plus vif et plus curieux que celui du persan, mais n'ont pas éliminé les problèmes anatomiques de la face, hérités de ce dernier. Le pelage double de l'exotic shorthair nécessite un brossage bi-hebdomadaire.

Brun tabby tigré
Alors que le persan tabby n'est admis qu'avec une robe classique ou mouchetée, l'exotic est également accepté avec un pelage tigré. Les marques faciales des trois types tabby sont les mêmes, tandis que celles du corps varient. Le tabby tigré possède des rayures verticales sur tout le corps.

Seal point
Chez l'exotic, les robes colourpoint sont inclues aux autres couleurs, elles ne font pas l'objet d'un groupe séparé comme chez le persan. Le masque s'étend sur la face entière, et tous les « points » doivent être d'intensité égale. Les marques colourpoint ne se développent pas toutes au même rythme, les teintes denses, telles que le seal (brun phoque), apparaissant plus tôt que les autres.

Couleurs de robe

toutes couleurs et marques, y compris colourpoint, sépia et vison

Un peu d'histoire Au début des années 1960, les éleveurs d'american shorthairs *(p. 190)* tentèrent d'introduire la texture de la robe persane au sein de la race. Mais ils obtinrent le résultat opposé en produisant des chats au corps compact de persan, dotés d'un pelage court : le persan à poil court était né. Afin de différencier cette race des american shorthairs, les éleveurs la baptisèrent exotic shorthair, et utilisèrent le british shorthair *(p. 164)*, le burmese *(p. 262)* et même le bleu russe *(p. 224)* pour leur programme d'élevage. La C.F.A. reconnut ce spécimen en 1967.

Noir

Orné d'une robe noire lustrée et d'yeux dorés lumineux, ce chat aurait pu servir de modèle aux chats en peluche noirs porte-bonheur produits depuis de nombreuses années dans les pays anglo-saxons.

Queue relativement courte

Extrémités larges, fermes et arrondies

Tête de l'exotic

L'exotic a hérité de quelques défauts faciaux du persan, tels qu'un larmoiement intense, des narines rétrécies et des problèmes dentaires. Afin de réduire ces troubles, les standards britanniques exigent que la partie supérieure de la truffe se trouve au-dessous de la limite inférieure des yeux.

Bleu

Le standard de couleur de l'exotic bleu est similaire à celui du british shorthair de même teinte. En comparant les deux races, on constate à quel point leur conformation diffère, bien qu'il s'agisse de deux spécimens robustes. L'exotic est le plus rond de tous les chats à poil court, car son standard exige sur tout le corps des lignes courbes – l'apparence de grosse peluche de l'animal peut, à tort, donner une impression de mollesse.

Bleu crème

Le standard de tous les exotics écaille-de-tortue exige que les couleurs soient équilibrées et harmonieusement mêlées ; les quatre pattes et la queue s'ornent également des deux couleurs. Certaines taches distinctes sont permises, ainsi que des flammes faciales. Il est impossible de prévoir l'aspect des robes écaille.

Corps moyen ou grand, solide et près du sol

Pelage dense, pelucheux et bouffant

CARTE D'IDENTITÉ

DATE D'ORIGINE années 1960

LIEU D'ORIGINE États-Unis

ASCENDANCE persans, american shorthairs

CROISEMENTS ULTÉRIEURS aucun

AUTRE NOM aucun

POIDS 3 à 6,5 kg

CARACTÈRE doux et curieux

Tête ronde, massive et joufflue

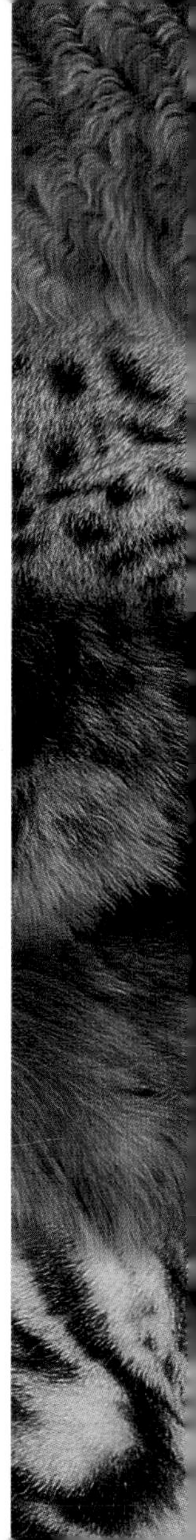

BRITISH SHORTHAIR

Ce chat de structure impressionnante est doté d'un tempérament autonome et indépendant. Il est doux et peu exigeant mais n'apprécie pas qu'on le manipule. Son pelage, dense et bouffant, est ferme au toucher ; il recouvre un sous-poil protecteur efficace en hiver. Pourvu de pattes robustes et d'un corps puissamment musclé, le british shorthair est un animal compact, assez lourd. Ses yeux arrondis lui donnent un air placide et aimable mais c'est un chasseur remarquable.

Roux tabby classique
À l'origine, le tabby était brun, couleur moins courante aujourd'hui, mais les tabbys roux firent leur apparition assez tôt. En Grande-Bretagne, les chats sans race définie sont souvent couleur gingembre : un siècle d'élevage sélectif a transformé cette teinte en un fauve aux nuances raffinées.

Oreilles de taille moyenne, aux bouts arrondis

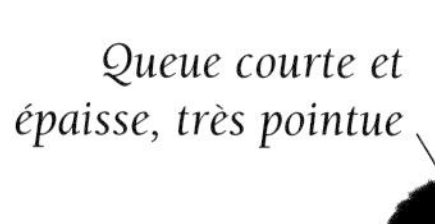

Queue courte et épaisse, très pointue

Silver tabby moucheté

Ces marques superbes furent parmi les premières à apparaître dans les années 1880. Il existe des versions silver de tous les tabbys, mais le noir reste l'une des couleurs les plus populaires. Le silver possède, comme les tabbys mouchetés des autres races, des yeux noisette, plutôt que cuivrés.

Couleurs de robe

UNICOLORE ET ÉCAILLE-DE-TORTUE
noir, chocolat, rouge, bleu, lilas, crème, écaille-de-tortue, écaille chocolat, écaille bleu, écaille lilas, blanc (yeux bleus, orange, vairons)

FUMÉ ET AVEC « TIPPING »
mêmes couleurs que pour unicolore et écaille-de-tortue, avec « tipping » golden

BICOLORE
mêmes couleurs que pour unicolore et écaille-de-tortue, avec du blanc

TABBY (CLASSIQUE, TIGRÉ, MOUCHETÉ)
brun, chocolat, rouge, bleu, lilas, crème, écaille-de-tortue, écaille chocolat, écaille bleu, écaille lilas

SILVER TABBY (CLASSIQUE, TIGRÉ ET MOUCHETÉ)
mêmes couleurs que pour les tabbys standards

COLOURPOINT
mêmes couleurs que pour les unicolores, écaille-de-tortue et tabbys

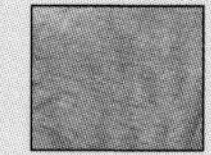

ROUX TABBY MOUCHETÉ

BLEU TABBY MOUCHETÉ

FUMÉ NOIR

BRUN TABBY CLASSIQUE

Noir

Les superstitions relatives aux chats noirs ont souvent eu un effet négatif, mais en Grande-Bretagne ce spécimen a été pleinement réhabilité ; il est même considéré comme un porte-bonheur. Les yeux des chats sans pedigree sont rarement doré clair mais verts ou noisette.

Écaille-de-tortue

Cette robe, difficile à obtenir, fut néanmoins l'une des premières à être admise. Le standard réclame un mélange équitable des couleurs, sans tache distincte, au contraire de celui de l'american shorthair. Mouchetures et marques tabby sont considérées comme des défauts.

UN PEU D'HISTOIRE

Les british shorthairs furent développés au début du XIXe siècle, à partir de chats domestiques communs. La race a été très représentée dans les premières expositions félines, mais elle connut un déclin au tournant du XIXe et XXe siècles et faillit disparaître dans les années 1950, avant d'être ressuscitée par des éleveurs persévérants qui exportèrent des animaux en Irlande et dans le Commonwealth. Dans les années 1970, ce spécimen fut introduit aux États-Unis où il conquit de nombreux admirateurs. Notons une caractéristique curieuse et rare : la moitié des british shorthairs ont un sang de type B.

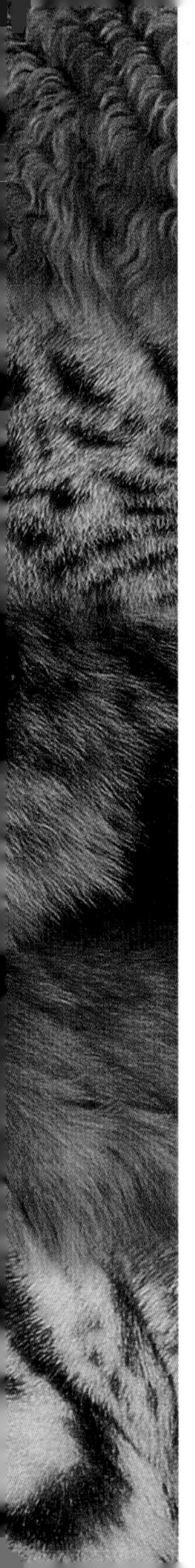

Bleu

Cette couleur, qui fut l'une des premières élaborées, reste la plus populaire. Pendant de nombreuses années, le british bleu fut le seul spécimen reconnu en Amérique du Nord. Pendant la Seconde Guerre mondiale, il disparut ; les éleveurs effectuèrent des croisements avec des orientaux, puis avec des persans bleus, de morphologie voisine.

Blanc aux yeux orange
Cette couleur fut élaborée à partir du spécimen blanc aux yeux bleus qui apparut à la fin du XIXe siècle. Une robe d'un blanc pur, sans trace jaunâtre, est rare. Les chats blancs aux yeux bleu clair ou vairons sont souvent sourds : le standard réclame un bleu profond pour tenter d'éviter ce problème. Les chats blancs aux yeux orange souffrent rarement de ce handicap.

Tête ronde aux joues rebondies

CARTE D'IDENTITÉ

DATE D'ORIGINE années 1880

LIEU D'ORIGINE Grande-Bretagne

ASCENDANCE chats domestiques, de ferme, de rue

AUTRE NOM chinchilla shorthair (avec tipping)

POIDS 4 à 8 kg

CARACTÈRE aimable et détendu

NOUVELLES VARIÉTÉS DE BRITISH SHORTHAIRS

Depuis que l'élevage des british shorthairs a commencé, de nombreuses variétés ont été créées. Certaines d'entre elles sont apparues avant la Seconde Guerre mondiale, mais de multiples couleurs et marques de robe ont été élaborées plus récemment. Dans les années 1950, le nombre d'individus avait considérablement baissé ; les éleveurs croisèrent les survivants avec des persans afin d'assurer la préservation du pelage bleu. Bien que peu apparente aujourd'hui, cette influence persane se voit encore chez certains chatons au pelage duveteux.

Oreilles de taille moyenne, aux bouts arrondis

Bicolore noir et blanc
Alors que les bicolores existent depuis la naissance de la race, le standard spécifiait à l'origine que les marques devaient être symétriques, caractéristique presque impossible à obtenir. Aujourd'hui, une distribution moins rigide de la couleur est autorisée chez ce spécimen à moitié blanc.

Chat au « tipping » noir
Jusqu'en 1978, ce spécimen fut baptisé chinchilla shorthair car il fut élaboré à partir de persans chinchillas. Cet héritage est toujours apparent chez les chatons, avant qu'ils n'acquièrent leur pelage d'adulte.

Écaille et blanc

Au contraire de la robe « écaille intégral », ce pelage présente des taches distinctes de roux et de noir. Pour certaines raisons encore inconnues, le gène bicolore affecte le roux lié au sexe, rendant un mélange parfait des couleurs presque impossible sur les robes écaille et blanc. La proportion de blanc du pelage doit être contenue entre un tiers et la moitié, comme chez les autres spécimens bicolores.

Chaton chocolat

Le gène déterminant cette couleur riche est issu des chats orientaux. Il fut introduit chez le persan, qui le communiqua au british shorthair. En raison de son origine, la teinte chocolat n'est pas reconnue partout hors de Grande-Bretagne.

Crème

Les chats crème – roux de couleur diluée – sont reconnus depuis les années 1920. Au départ, ils possédaient des robes encore proches du roux. L'obtention du crème plus « froid », aussi éloigné que possible du rouge, demanda des efforts soutenus.

Extrémités compactes, arrondies et fermes

Chaton seal point

Ces couleurs ne sont pleinement admises en Grande-Bretagne que depuis les années 1990. Croisés avec des siamois, ces spécimens ressemblent aux british shorthairs, sauf pour leur couleur de robe.

Colourpoint bleu crème

De même que les colourpoints unis, les colourpoints écaille présentent sur leurs « points » des couleurs harmonieusement mélangées. En dépit de l'influence orientale, ces spécimens ont le tempérament placide de leurs ancêtres british.

Tête ronde aux joues bien pleines

MANX

L'absence de queue est la caractéristique la plus apparente de cette race. Le manx possède également une démarche sautillante unique. Si l'on devait qualifier ce spécimen d'un seul mot, ce serait « rond » – tête, corps, croupe : tout est arrondi. Ce chat, qui atteint lentement son aspect adulte, peut arborer des robes de couleurs et de marques diverses. Le manx rumpy a un creux à l'emplacement habituel de la naissance de la queue ; le stumpy possède une queue très courte, le taily une queue pratiquement normale. Le stumpy et le taily sont des compagnons adorables, au caractère affectueux, quoique un peu réservé.

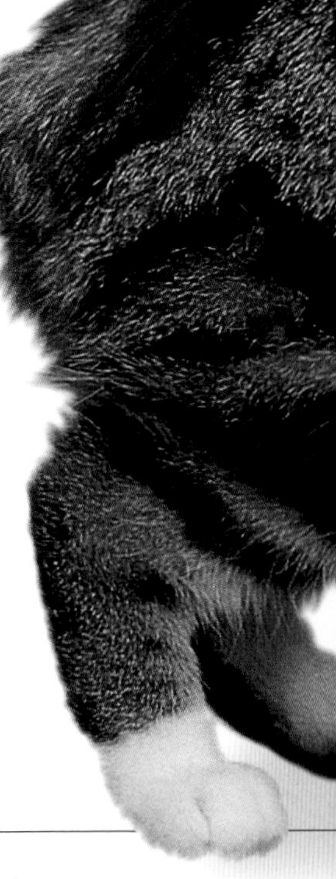

COULEURS DE ROBE

couleurs identiques à celles du british shorthair
toutes couleurs et marques

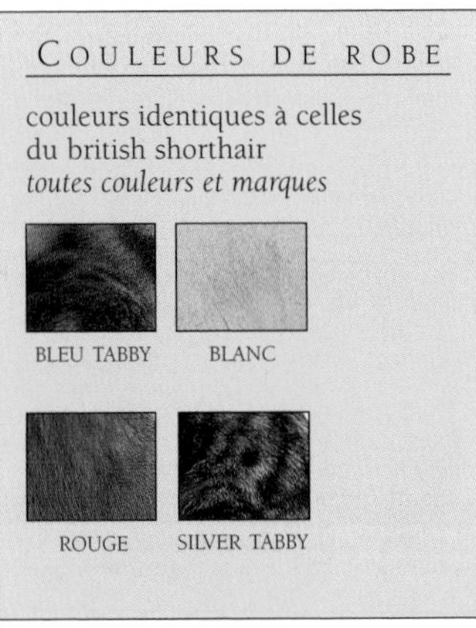

BLEU TABBY — BLANC

ROUGE — SILVER TABBY

Brun tabby classique et blanc
Les pattes postérieures du manx sont considérablement plus longues que les pattes antérieures, ce qui contribue à son aspect « rond » et produit son sautillement caractéristique.

Noir et blanc

Cette robe, commune chez les chats britanniques, ne doit présenter, chez les chats de concours, ni trace floue ni moucheture.

Carte d'identité

Date d'origine avant le XVIIIe siècle

Lieu d'origine île de Man

Ascendance chats domestiques

Croisements ultérieurs aucun

Autre nom aucun

Poids 3,5 à 5,5 kg

Caractère tempérament égal et docile

Écaille-de-tortue

Comme c'est le cas pour toutes les races, les standards britanniques, au contraire des standards d'Amérique du Nord, réclament des robes écaille aux coloris harmonieusement mélangés. Cet individu est un stumpy pourvu d'un bout de queue, ce qui l'exclut des concours.

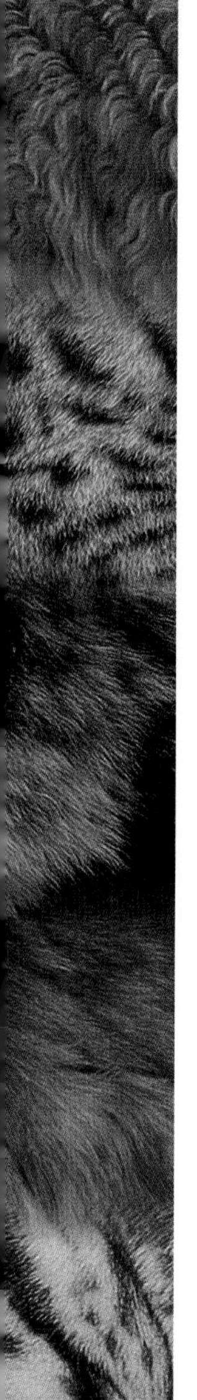

Brun écaille tabby

Le manx est l'une des races de chats les plus robustes. Le standard du G.C.C.F. réclame une « bonne largeur de poitrine », tandis que celui du C.F.A. exige que le corps et les membres dessinent un carré avec le plan du sol. Les standards de tous les registres imposent l'absence totale de queue et une croupe arrondie.

Tête du manx
La tête joufflue du manx lui vient de ses ancêtres sans race définie. Large, elle doit être pourvue d'un museau rectiligne et d'un menton fermement dessiné.

Un peu d'histoire Le manx est originaire de l'île de Man. L'absence de queue se produit parfois au sein de populations félines, par une mutation spontanée, qui disparaît d'elle-même si les chats sont très nombreux, mais qui peut survivre dans des groupes d'animaux isolés. C'est de cette façon que le manx et le bobtail japonais *(p. 150)* se sont développés. Le spécimen ancien traditionnel était plus grand et élancé que sa version actuelle ; aujourd'hui, les éleveurs favorisent la « rondeur ». La race a été reconnue par la C.F.A. dans les années 1920.

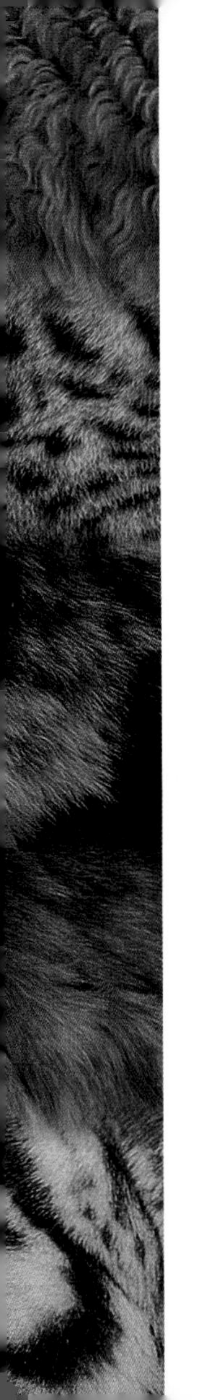

REX SELKIRK

Le caractère rex est apparent dès la naissance chez les chatons de cette race. Le pelage épais, pelucheux et doux tombe très rapidement pour réapparaître entre huit et dix mois. Bien que la fourrure, dont chaque poil est ondulé, nécessite un entretien régulier, un excès de brossage la raidit. Sur le plan de la morphologie, ce chat patient et décontracté ressemble beaucoup au british shorthair, en particulier en ce qui concerne la longueur des pattes. Il existe des rex selkirks à poil court et à poil long, ces derniers étant spectaculaires *(p. 82)*. Chez le rex selkirk, au contraire de ce qui se produit au sein des autres races de même type, le caractère rex est dominant : des croisements avec d'autres races, destinés à accroître le patrimoine génétique, produisent au moins 50 % de chatons au poil frisé.

COULEURS DE ROBE

toutes les couleurs et marques, incluant les colourpoint, sépia et vison

ROUX TABBY ET BLANC — NOIR ET BLANC — SILVER SHADED

Tête du selkirk

La tête du selkirk, contrairement à celle des autres rex, de morphologie plutôt orientale, possède un aspect de type occidental. Les yeux sont ronds, le museau est court, les joues sont pleines et les mâchoires fortes. Les vibrisses, crépues, peuvent être fragiles.

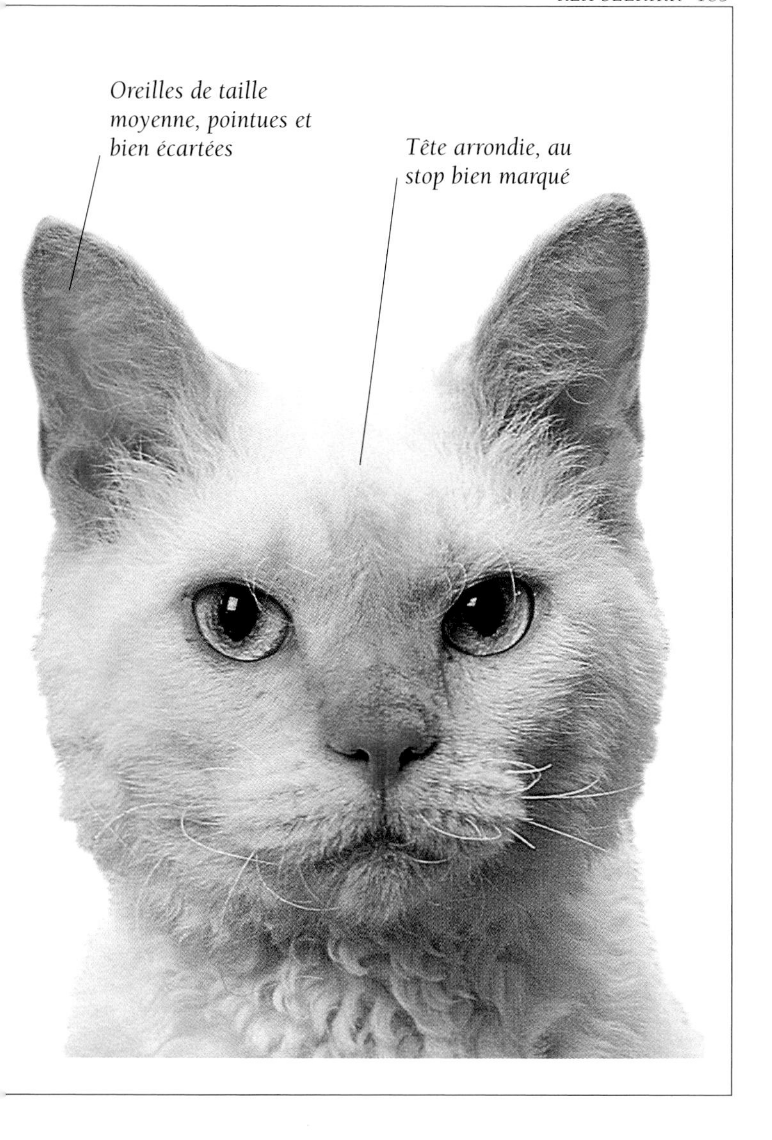
Oreilles de taille
moyenne, pointues et
bien écartées
Tête arrondie, au
stop bien marqué

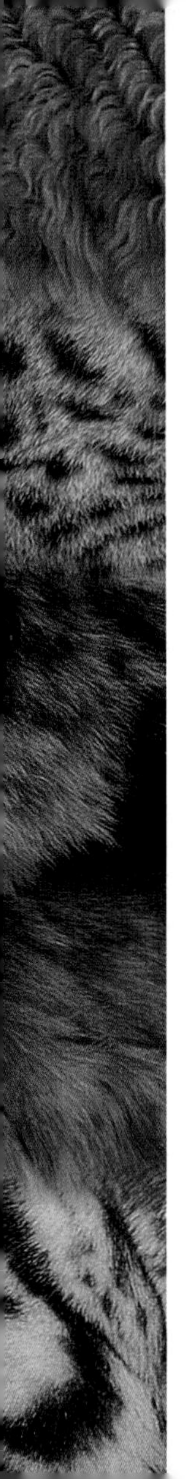

CARTE D'IDENTITÉ

DATE D'ORIGINE 1987

LIEU D'ORIGINE États-Unis

ASCENDANCE chats domestiques, persans, exotic, british et american shorthairs

CROISEMENTS ULTÉRIEURS persans, exotic, british et american shorthairs

AUTRE NOM aucun

POIDS 3 à 5 kg

CARACTÈRE patient et tolérant

Fumé noir
Comme les autres races rex, la superbe robe du selkirk possède des nuances fumées et shaded. Des croisements avec d'autres races ont permis à ce spécimen de tirer avantage des décennies d'élevage sélectif consacrées à l'obtention de caractères tels que les yeux cuivrés, par exemple.

UN PEU D'HISTOIRE Des mutations nouvelles surviennent parfois de façon spontanée et suscitent un intérêt suffisant pour entraîner la création de nouvelles races. Le rex selkirk est l'une des races reconnues récemment. En 1987, une petite femelle calico naquit dans un refuge du Montana, aux États-Unis. Née au sein d'une portée de sept individus, elle était la seule à présenter une robe et des moustaches frisées. Par la suite, elle produisit elle-même une portée de six chatons dont la moitié avaient un pelage bouclé, ce qui révélait que le caractère rex était génétiquement dominant. D'autres croisements permirent de constater qu'elle était également porteuse du gène récessif déterminant le poil long, ainsi que de celui responsable des marques colourpoint. Cette race, qui porte le nom de montagnes voisines de son lieu de naissance, est reconnue par la T.I.C.A.

Yeux ronds, très écartés
Pelage épais de longueur moyenne, aux boucles lâches
Corps d'ossature moyenne, bien musclé

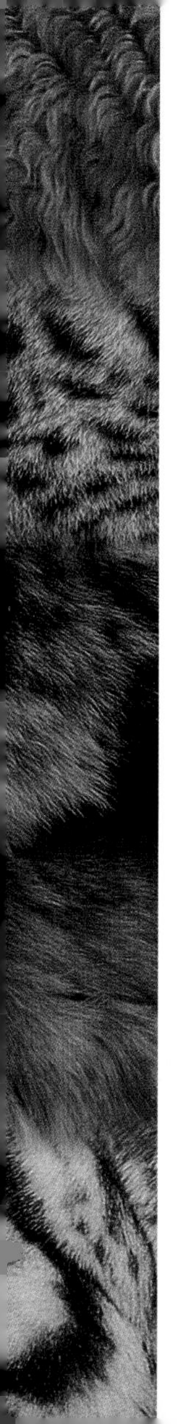

SCOTTISH FOLD

Grâce à ses oreilles pliées, ce chat à la tête arrondie, au cou trapu et au corps compact est immédiatement identifiable. L'aspect des oreilles est dû à un gène dominant qui entraîne plusieurs degrés de pliure. Le premier scottish fold avait une pliure « unique », rabattant le pavillon vers l'avant, tandis que les chats de concours d'aujourd'hui présentent trois plis serrés. Le scottish fold est doté d'un tempérament placide et peu démonstratif, qui s'accorde avec son attitude réservée.

Tête du scottish fold
Les oreilles du scottish fold, petites de préférence, doivent être rabattues bien à plat vers l'avant et donner l'impression d'une casquette. L'expression de la face est douce.

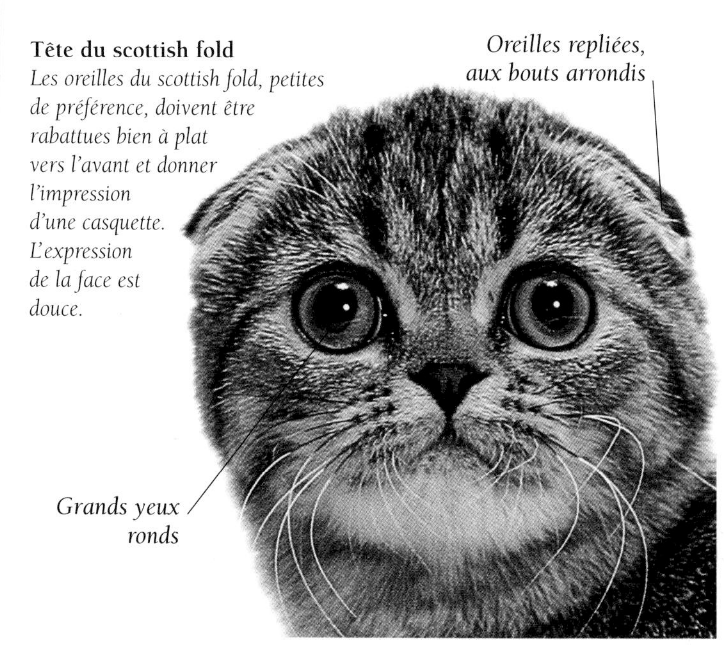

Brun tabby classique

Les oreilles du fold possèdent leur aspect particulier dès la naissance, bien que l'importance de la pliure ne se révèle parfois que plus tard. Des troubles de croissance des cartilages, qui peuvent survenir chez les homozygotes, ne sont pas apparents au jeune âge.

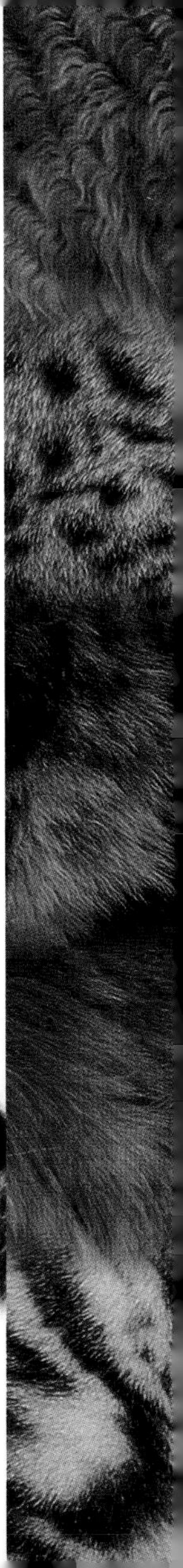

COULEURS DE ROBE

toutes couleurs et marques, y compris colourpoint, sépia et vison

Morphologie massive, au dos flexible

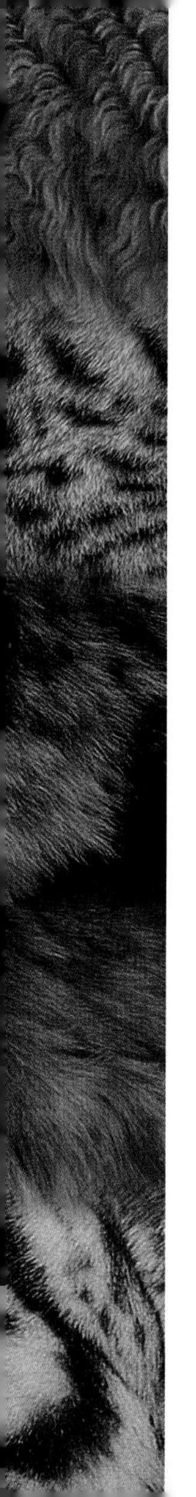

UN PEU D'HISTOIRE Les oreilles repliées, courantes chez les chiens, sont rares chez les chats. La mère fondatrice de la race scottish fold naquit en Écosse. Elle donna naissance à des petits, dont une femelle fut adoptée par un berger écossais. Celle-ci, croisée avec un british shorthair *(p. 164)*, produisit un chaton mâle blanc qui participa à des concours locaux. L'élevage sélectif se poursuivit aux États-Unis à l'aide de british et d'american shorthairs *(p. 190)* : les folds furent officiellement reconnus en 1994. En Grande-Bretagne, les problèmes de cartilage des homozygotes entravent l'enregistrement de la race.

CARTE D'IDENTITÉ

DATE D'ORIGINE 1961

LIEU D'ORIGINE Écosse

ASCENDANCE chats de ferme, british et american shorthairs

CROISEMENTS ULTÉRIEURS british et american shorthairs

AUTRE NOM aucun

POIDS 2,5 à 6 kg

CARACTÈRE calme et sûr de lui

Bleu écaille tabby et blanc
La notation du scottish fold attache beaucoup d'importance à la morphologie de celui-ci. Les oreilles retombent en direction du nez. La queue, autre élément très important aux yeux des juges, ne doit présenter aucun raccourcissement ni aucune raideur, révélateurs de problèmes cartilagineux. Le chat doit être bien proportionné, souple et en bonne santé.

Queue longue et effilée

Tête arrondie, au museau court et large
Pelage court et dense

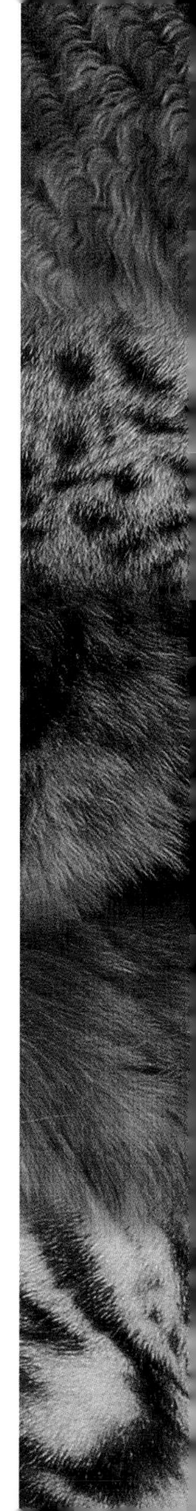

AMERICAN SHORTHAIR

Aux États-Unis, ce chat autonome est aussi populaire à la maison que dans les concours. Il peut être très grand et possède une tête joufflue et un corps musclé d'aspect puissant. Les éleveurs veillent à obtenir des chatons aux qualités proches de celles du chat domestique. Afin d'élargir le patrimoine génétique, des croisements, qui furent longtemps interdits, pourraient être tolérés avec tous les chats sans pedigree répondant au standard.

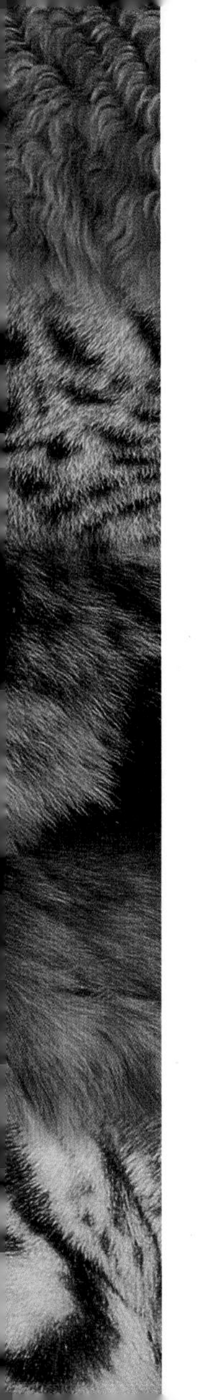

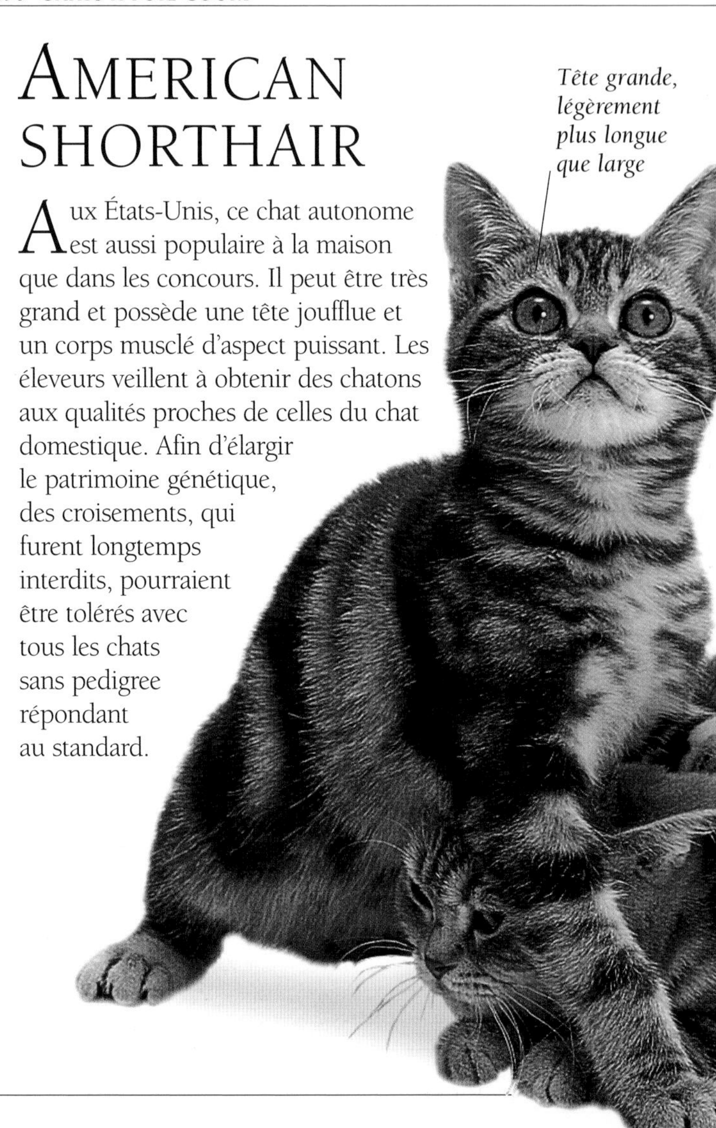

COULEURS DE ROBE

UNICOLORE ET ÉCAILLE-DE-TORTUE
noir, roux, bleu, crème, blanc, écaille-de-tortue, bleu crème
tous les autres unicolores et écaille-de-tortue

FUMÉ
noir cameo, bleu, écaille-de-tortue, bleu crème
tous les autres unicolores et écaille-de-tortue, sauf blanc

SHADED OU AVEC TIPPING
mêmes couleurs que pour unicolores et écaille, sauf blanc
mêmes couleurs que pour unicolores et écaille, sauf blanc

TABBY (CLASSIQUE, TIGRÉ)
brun, roux, bleu, crème, brun tacheté, bleu tacheté
marques tiquetées et mouchetées,
tous les autres unicolores et écaille-de-tortue

BICOLORE TABBY
toutes marques tabby avec du blanc

SHADED TABBY
couleurs et marques similaires à celles des tabbys standards

BICOLORE (STANDARD ET VAN)
mêmes couleurs que pour unicolores et écaille, sauf blanc

BICOLORE FUMÉ, SHADED ET AVEC TIPPING
fumé noir, fumé cameo, fumé bleu, fumé écaille-de-tortue, shaded cameo, shell cameo avec blanc
autres fumés, shaded et avec tipping, avec du blanc

BICOLORE SILVER TABBY
silver tabby, cameo tabby, silver tabby tacheté, plus blanc
autres silver tabbys avec du blanc

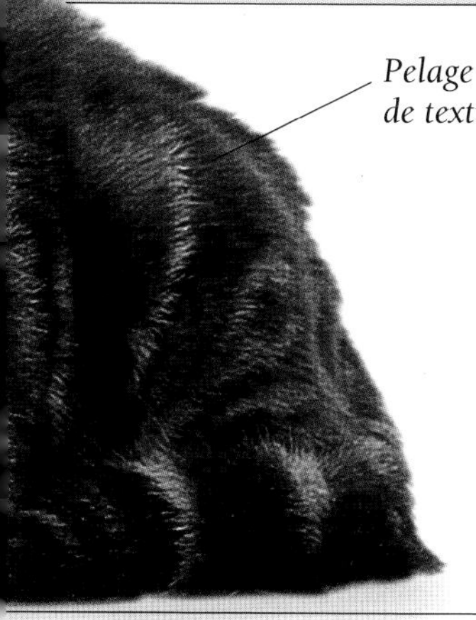

Pelage court et épais, de texture ferme

Chatons brun tabby classique
Pour la C.F.A., seuls les tabbys marbrés et tigrés sont acceptés, tandis que la T.I.C.A. admet aussi les marques mouchetées et tiquetées. Les tabbys marbrés prédominaient chez les ancêtres de ce spécimen ; il semble que leur présence était étroitement liée aux anciennes routes marchandes.

CARTE D'IDENTITÉ

DATE D'ORIGINE XVIIIe siècle

LIEU D'ORIGINE États-Unis

ASCENDANCE chats domestiques

CROISEMENTS ULTÉRIEURS aucun

AUTRE NOM domestic shorthair

POIDS 3,5 à 7 kg

CARACTÈRE facile à vivre

Silver tabby

Le silver tabby est un spécimen recherché ; ses marques d'un noir d'encre se détachent sur le gris argenté de la robe. En 1965, l'un d'eux fut nommé « chat de l'année » aux États-Unis, ce qui entraîna un changement du nom de la race : le domestic shorthair se transforma en american shorthair.

Fumé noir

En 1904, Buster Brown, premier chat de cette race à être enregistré, était un fumé noir issu de chats de rue.

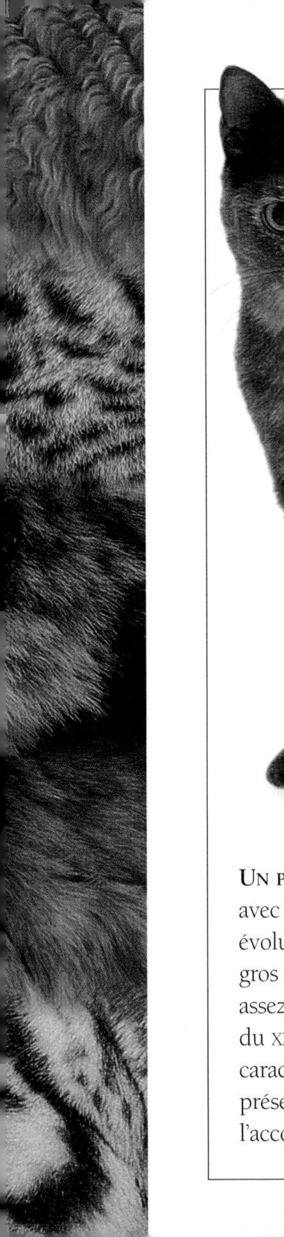

Bleu crème
Presque tous les spécimens écaille-de-tortue sont des femelles. En général moins massives que les mâles, elles ont une tête moins « lourde ». Le standard de l'américan shorthair, comme celui de la plupart des autres races américaines, réclame des taches clairement définies.

UN PEU D'HISTOIRE Les chats domestiques arrivèrent aux États-Unis avec les premiers colons. Ce nouvel environnement entraîna une évolution de l'animal : entouré de prédateurs naturels, il devint plus gros que les félins européens, et se couvrit d'un pelage épais et ferme, assez dense pour le protéger de l'humidité et du froid. Au début du XXe siècle, quelques éleveurs américains comprirent que des caractéristiques précieuses de leurs chats domestiques devaient être préservées. La première portée, née en 1904, fut produite par l'accouplement d'un british shorthair et d'un american shorthair.

Écaille et blanc
Cette robe est baptisée « calico » en Amérique du Nord. Ce nom, utilisé depuis les premiers concours félins, se réfère à la toile de coton du même nom autrefois imprimée de grandes taches de couleur.

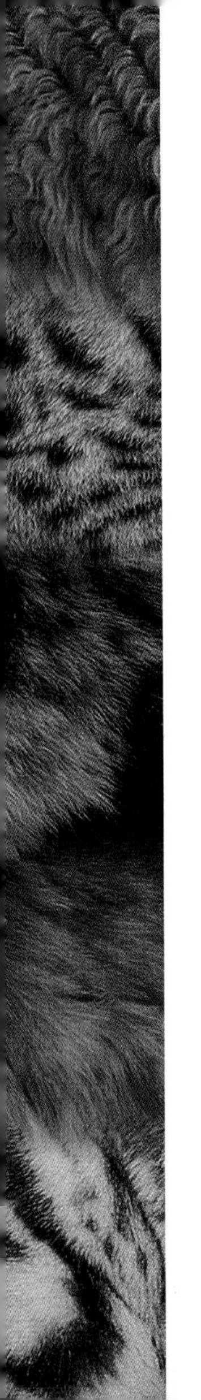

AMÉRICAIN À POIL DUR

La caractéristique la plus remarquable de ce chat est son pelage. Lorsqu'on le caresse, on a l'impression de toucher de l'astrakan. Chaque poil, particulièrement fin, est incurvé, en crochet ou ondulé, ce qui confère à la robe son apparence « paille de fer ». La fourrure la plus prisée est à la fois rude et dense, mais un chaton naissant avec des boucles peut, lorsqu'il devient adulte, conserver un aspect simplement ondulé. Décontracté et affectueux, l'americain à poil dur adore, paraît-il, être manipulé et caressé.

COULEURS DE ROBE

UNICOLORE ET ÉCAILLE-DE-TORTUE
noir, roux, bleu, crème, blanc (aux yeux bleus, dorés, vairons), écaille-de-tortue, écaille bleu
autres unicolores et écaille

FUMÉ
noir, roux, bleu ; *mêmes couleurs que pour les unicolores et écaille, sauf le blanc*

SHADED ET AVEC TIPPING
silver shaded, shaded cameo, silver chinchilla, shell cameo
mêmes couleurs que pour les unicolores et écaille

TABBY (CLASSIQUE, TIGRÉ)
brun, roux, bleu, crème
mêmes couleurs que pour les unicolores et écaille

SHADED TABBY
silver, cameo ; *toutes les autres couleurs tabby*

BICOLORE
robes unicolores et écaille, avec du blanc ; *toutes couleurs et marques, avec du blanc*

BRUN TABBY

BLEU

BLANC

Roux tabby classique et blanc
Le chaton mâle chez lequel est apparu ce pelage caractéristique était roux et blanc. Quelle que soit la robe, à l'exception du silver, la C.F.A. exige des yeux dorés brillants, tandis que la T.I.C.A. ne fait aucune relation entre la robe et la couleur des yeux.

Pelage mi-long, souple et serré

Tête ronde aux pommettes hautes
Torse arrondi, bien horizontal

UN PEU D'HISTOIRE

Ce spécimen est issu d'un chaton mâle né en 1966, à New York. La même portée contenait une femelle au pelage normal. Un programme d'élevage rigoureux permit de déterminer que le poil dur était dû à une mutation dominante. La race se développa grâce à des croisements avec des american shorthairs, et le standard de la race fut défini en 1967.

CARTE D'IDENTITÉ

DATE D'ORIGINE 1966

LIEU D'ORIGINE États-Unis

ASCENDANCE chats de ferme, american shorthairs

CROISEMENTS ULTÉRIEURS american shorthairs

AUTRE NOM american wirehair

POIDS 3,5 à 7 kg

CARACTÈRE actif, parfois autoritaire

Queue harmonieusement effilée

Pattes robustes de longueur moyenne, aux extrémités compactes et arrondies

Fumé noir et blanc

Les bicolores fumés offrent des couleurs moins contrastées que les bicolores aux teintes denses. Le pelage particulier de l'américain à poil dur laisse deviner son sous-poil blanc.

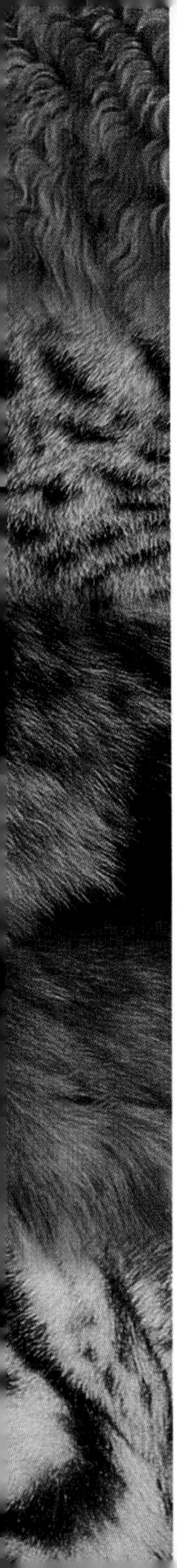

AMERICAN CURL

Ce chat élégant existe avec deux types de pelage, à poil court et à poil long. Le spécimen à poil court mit plus longtemps à se développer, car les américan curls originaux étaient tous dotés de poils longs. La forme des oreilles est très importante pour les éleveurs : les spécimens présentant une incurvation très faible (premier degré) sont des animaux de compagnie ; ceux qui ont une incurvation moyenne (deuxième degré) servent au développement de la race ; et ceux qui possèdent une incurvation à 180° (troisième degré) peuvent concourir.

COULEURS DE ROBE

UNICOLORE ET ÉCAILLE-DE-TORTUE
noir, chocolat, roux, bleu, lilas, crème, blanc, écaille-de-tortue, bleu crème
autres unicolores et écaille

FUMÉ
couleurs précédentes sauf blanc, plus écaille chocolat
mêmes couleurs que pour les unicolores et écaille

SHADED ET AVEC TIPPING
silver shaded, golden shaded, shaded cameo, shaded écaille-de-tortue, silver chinchilla, golden chinchilla, shell cameo, shell écaille-de-tortue
mêmes couleurs que pour les unicolores et écaille

TABBY (CLASSIQUE, TIGRÉ, TIQUETÉ, MOUCHETÉ)
brun, roux, bleu, crème, brun tacheté, bleu tacheté
autres couleurs

Pelage doux et couché, au sous-poil réduit

Queue de longueur égale à celle du corps, large à la base et s'effilant jusqu'à la pointe

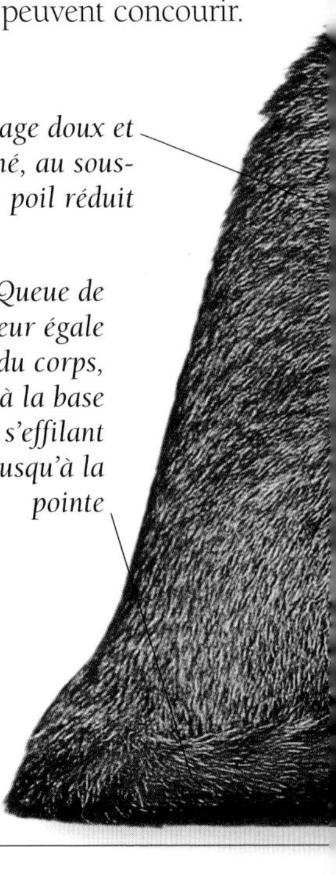

Carte d'identité

Date d'origine 1981

Lieu d'origine États-Unis

Ascendance chats domestiques américains

Croisements ultérieurs aucun

Autre nom aucun

Poids 3 à 5 kg

Caractère calme et affable

Corps de type semi-foreign, modérément musclé

Silver tabby tiqueté
Le standard du curl réclame des rayures distinctes sur la face, les membres et la queue ; chez les autres races tabby tiqueté, les rayures sont rejetées. La T.I.C.A. reconnaît ces marques dans les teintes silver, alors que la C.F.A. les refuse.

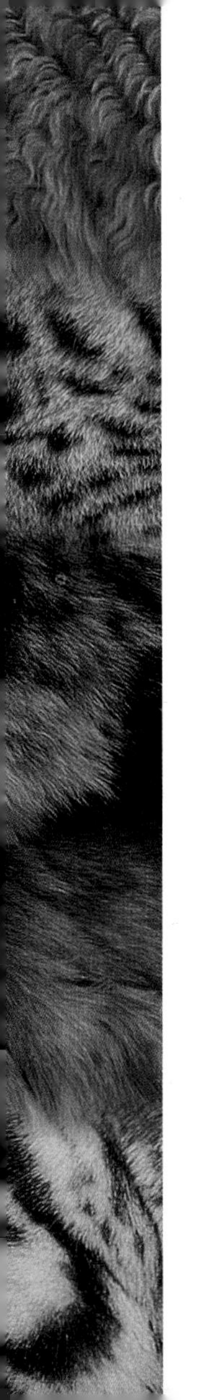

Couleurs de robe

SILVER TABBY (CLASSIQUE, TIGRÉ)
silver, silver chocolat, cameo, silver bleu, silver lavande, silver crème, silver tacheté
autres tabbys standards, tigrés et mouchetés

BICOLORE (CLASSIQUE ET VAN)
noir, roux, bleu, crème avec blanc, calico, calico dilué
autres couleurs avec du blanc

BICOLORE TABBY
mêmes couleurs que pour les tabbys standards

UNICOLORE ET POINTS ÉCAILLE-DE-TORTUE
seal, chocolat, flamme, bleu, lilas, crème, écaille-de-tortue, écaille chocolat, bleu crème, lilas crème
autres couleurs, avec marques sépia et vison

POINTS LYNX (TABBY)
mêmes couleurs que pour les robes unicolores et écaille, sauf roux
autres couleurs avec marques sépia et vison

Évolution du curl

Tous les american curls naissent avec des oreilles droites. Entre deux et dix jours après leur naissance, l'oreille s'incurve, puis se redresse à plusieurs reprises, avant de se courber définitivement à l'âge de quatre mois.

UN PEU D'HISTOIRE Pendant une dizaine d'années, ce chat a été le félin le plus populaire d'Amérique du Nord. Il résulte d'une mutation génétique survenue chez une chatte errante noire à poil long, baptisée Shulamith. La moitié des chatons engendrés par cette dernière présentaient des oreilles incurvées, caractéristique qui se révéla génétiquement dominante. Un programme d'élevage fut établi. Les membres de la lignée à poil court, comme leurs cousins à poil long – tous descendants de Shulamith –, répondent au même standard, sauf en ce qui concerne la robe.

Oreilles doucement incurvées à 90° au moins

MUNCHKIN

Si l'on en croit les éleveurs de munchkins, leur nanisme ne leur cause aucun problème de santé ; pourtant, ce spécimen à courtes pattes, qui existe avec des robes à poil long et à poil court, suscite bien des controverses. Des examens vétérinaires très rigoureux durent être effectués avant que la race ne fût admise, mais nombre d'experts pensent encore que le munchkin n'est pas un vrai chat. Son tempérament joueur est indéniablement celui d'un félin, mais son anatomie s'écarte sérieusement de celle de ses congénères. Le munchkin est un animal affectueux.

COULEURS DE ROBE

toutes couleurs et marques

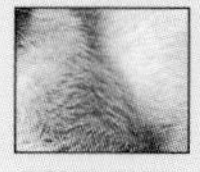
ROUX TABBY CLASSIQUE

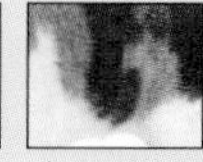
ÉCAILLE ET BLANC

NOIR

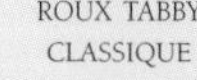

Brun tabby moucheté
La couleur et les marques de la robe ont relativement peu d'importance. La morphologie du chat représente la moitié des points attribués. Le munchkin est très apprécié car, sans doute à l'âge adulte, il évoque un chaton, avec ses pattes courtes par rapport au reste du corps.

Carte d'identité

Date d'origine années 1980

Lieu d'origine États-Unis

Ascendance chats domestiques

Croisements ultérieurs chats domestiques

Autre nom aucun

Poids 2,5 à 4 kg

Caractère curieux et agréable

Roux tabby moucheté
Si l'on observe sa démarche et sa façon de se tenir assis, les pattes antérieures relevées, le munchkin évoque un écureuil, attitude caractéristique qui contribue à la réputation de curiosité et de drôlerie de l'animal.

Tête du munchkin
Le standard réclame un type globalement modéré. Une face trop ronde et joufflue, ou une tête trop anguleuse et « foreign », ne sont pas admises.

UN PEU D'HISTOIRE Le munchkin fait l'objet d'un élevage aux États-Unis depuis dix ans. Il fut reconnu par la T.I.C.A. en 1995. Certains éleveurs travaillent pour produire des spécimens rex ou des munchkins aux oreilles incurvées, mais ces programmes ne sont pas unanimement approuvés et les animaux obtenus ne sont pas acceptés.

SNOWSHOE

Comme son nom l'indique (*snowshoe* : chaussure de neige), ce chat possède des « gants » blancs, caractéristique qui résulte d'une combinaison de marques colourpoint avec des taches blanches. Il existe deux spécimens : le spécimen ganté, au blanc limité, et le bicolore, qui comporte plus de blanc sur la face et le corps. Le snowshoe tient peut-être ses extrémités claires de l'american shorthair *(p. 190)* ou de son ascendance siamoise – les « points » blancs étaient considérés comme un défaut chez les premiers siamois. Sociable et affectueux, cet animal, doté d'une voix douce, se montre souvent un peu bavard.

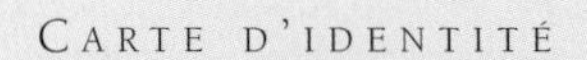

CARTE D'IDENTITÉ

DATE D'ORIGINE années 1960

LIEU D'ORIGINE États-Unis

ASCENDANCE siamois, american shorthairs

CROISEMENTS ULTÉRIEURS siamois unicolores, american shorthairs unicolores et bicolores

AUTRE NOM aucun

POIDS 2,5 à 5,5 kg

CARACTÈRE actif et amical

Queue d'épaisseur moyenne, légèrement effilée

Chaton bicolores seal

Les zones blanches ne doivent pas excéder les deux tiers de la robe. Le corps présente un « shading » qui s'estompe jusqu'au ventre clair, sans aucune tache blanche isolée.

COULEURS DE ROBE

GANTÉ
seal, chocolat, bleu, lilas

BICOLORE
couleurs des gantés, avec du blanc

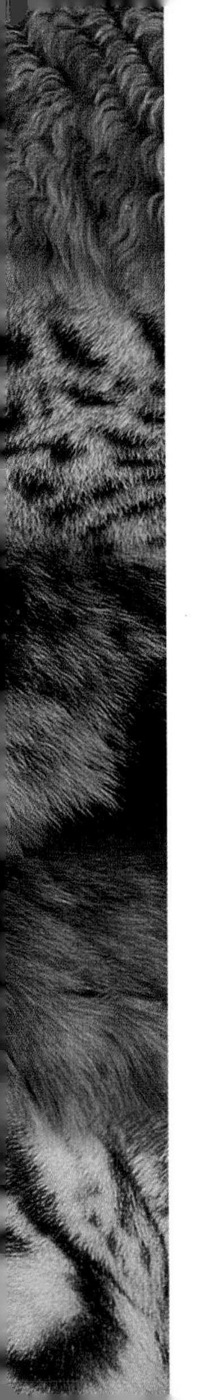

Oreilles situées dans le prolongement des lignes de la face

Face du snowshoe
Les marques de la face permettent de dire si un snowshoe est ganté ou bicolore. Le spécimen bicolore comporte une marque blanche en forme de « V » inversé. La quantité de blanc de la robe détermine si l'individu est un bon ou un mauvais représentant de l'un des deux types.

UN PEU D'HISTOIRE Dans les années 1960, une éleveuse de Philadelphie effectua des croisements de siamois avec des american shorthairs. Les spécimens produits rencontrèrent des détracteurs parmi les éleveurs de siamois, qui craignaient que les taches et mouchetures réapparaissent chez leurs chats, alors qu'il avait fallu des décennies de travail pour les éradiquer. Les marques colourpoint nettes étaient également la prérogative des siamois à cette époque ; aujourd'hui, elles sont acceptées chez de nombreuses autres races. Le snowshoe resta inconnu jusque dans les années 1980, époque à laquelle il fut accepté par la T.I.C.A. Bien que sa popularité s'élargisse, il n'est enregistré par aucun des autres registres majeurs.

Bleu ganté

Le snowshoe classique est ganté. Dans l'idéal, les « gants » blancs ne montent que jusqu'au poignet sur les antérieurs, et jusqu'au jarret sur les postérieurs ; la quantité totale de blanc ne doit pas excéder les deux tiers de la robe – il peut y avoir des marques sur la face. Les couleurs roux lié au sexe et cannelle sont inexistantes chez cette race.

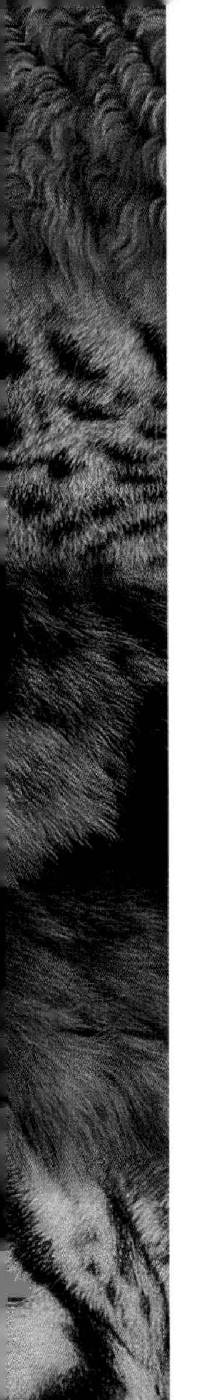

EUROPÉEN À POIL COURT

Un chat qui porte le nom d'un continent devrait être très populaire, mais l'européen à poil court est moins connu que ses homologues anglais ou américain, le british shorthair et l'american shorthair. Depuis la fondation de la race, ce chat est devenu moins rustique que le spécimen britannique – sa tête étant plus allongée et moins joufflue, elle reflète mieux qu'auparavant le type de félins issus de pays au climat plus clément. Il partage toutefois de nombreuses caractéristiques avec le british shorthair, en particulier un pelage épais, très protecteur. De tempérament paisible, c'est un compagnon calme et affectueux.

COULEURS DE ROBE

UNICOLORE ET ÉCAILLE-DE-TORTUE
noir, bleu, roux, crème, écaille-de-tortue, écaille bleu, blanc

FUMÉ (UNICOLORE, SÉPIA)
mêmes couleurs que précédemment à l'exception du blanc

TABBY (CLASSIQUE, TIGRÉ, TIQUETÉ)
brun, bleu, roux, crème, écaille-de-tortue, écaille bleu

SILVER TABBY (CLASSIQUE, TIGRÉ, TIQUETÉ)
mêmes couleurs et marques que pour les tabby standards

BICOLORE (STANDARD ET VAN)
unicolore et écaille-de-tortue avec du blanc
fumé, tippe et tabby

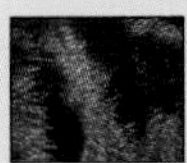

BRUN TABBY

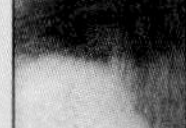

BLEU-CRÈME ET BLANC

SEAL POINT

Blue point

L'européen à poil court, tout comme le british shorthair, a « importé » la robe colourpoint du siamois (p. 280). Son pelage, qui s'orne d'un « shading » plus prononcé que celui du siamois, tend à foncer avec l'âge.

Crème shaded cameo tabby

Le gène inhibiteur ne produit pas toujours une couleur blanc argenté. Parfois, le sous-poil conserve un ton crème ; ces tabbys sont alors baptisés « shaded » plutôt que « silver ». Bien que les robes crème soient en principe plus « froides » que les rousses, les crème shaded peuvent s'orner de teintes chaudes.

UN PEU D'HISTOIRE Jusqu'en 1982, l'européen à poil court était classé avec le british shorthair. La F.I.Fé. attribua à ce spécimen un statut de race à part entière ; l'élevage commença à partir d'une population dont l'histoire était connue, d'un type déjà fixé, et dont plusieurs variétés existaient déjà. Peut-être en raison de sa ressemblance avec les british et american shorthairs, l'européen ne semble pas stimuler l'imagination des éleveurs. Actuellement, les croisements avec des british shorthairs ne sont plus admis. Cette race n'est pas reconnue par la G.C.C.F. ni par les registres majeurs hors d'Europe.

Noir silver tabby tigré

Cette race admet trois types de marques tabby : classique, tigré et moucheté. Le noir silver tabby est populaire en raison du contraste superbe des couleurs de sa robe – les marques doivent être symétriques sur les deux côtés du corps.

Grands yeux ronds, bien espacés, dont la couleur est assortie à celle de la robe

Pelage court et dense, plutôt bouffant

Roux silver tabby tigré
Chez les silver tabbys, le sous-poil est d'un blanc pur brillant qui confère à la robe des reflets « froids ».

CARTE D'IDENTITÉ

DATE D'ORIGINE 1982

LIEU D'ORIGINE Europe continentale

ASCENDANCE chats domestiques, british shorthairs

CROISEMENTS ULTÉRIEURS aucun

AUTRE NOM aucun

POIDS 3,5 à 7 kg

CARACTÈRE intelligent et réservé

Queue de longueur moyenne, épaisse à la base et s'effilant jusqu'à l'extrémité arrondie

Fumé écaille-de-tortue
Chez l'européen à poil court, les taches noires, rousses et crème doivent former des dessins nets plutôt qu'être étroitement mélangées. Dans la mesure où les poils sont bouffants, le sous-poil blanc du fumé se laisse entrevoir, ce qui dilue légèrement les couleurs.

Tête en forme de triangle arrondi, au museau bien dessiné

CHARTREUX

Observateur attentif – plutôt qu'acteur impulsif – de la vie qui se déroule devant lui, le chartreux est un chat tolérant, peu bavard, doté d'un miaulement aigu et d'un gazouillement rarement utilisé. Son corps robuste et ses pattes courtes, couverts d'un pelage dense, cachent sa taille véritable. Ce spécimen est un animal massif et puissant, qui atteint lentement son aspect définitif. C'est un excellent chasseur mais il n'est pas belliqueux et préfère fuir les conflits. Les chartreux à pedigree, comme les chiens, doivent être baptisés d'un nom commençant par une lettre donnée, correspondant à l'année de leur naissance.

Mâle bleu

Les chartreux mâles sont beaucoup plus grands que les femelles. Leur corps massif ne doit toutefois pas être ramassé. Avec l'âge, le chartreux acquiert des bajoues prononcées qui accentuent la largeur de la tête.

Queue épaisse à la base, s'effilant jusqu'à l'extrémité arrondie

COULEURS DE ROBE

UNICOLORE
bleu

Oreilles plantées haut

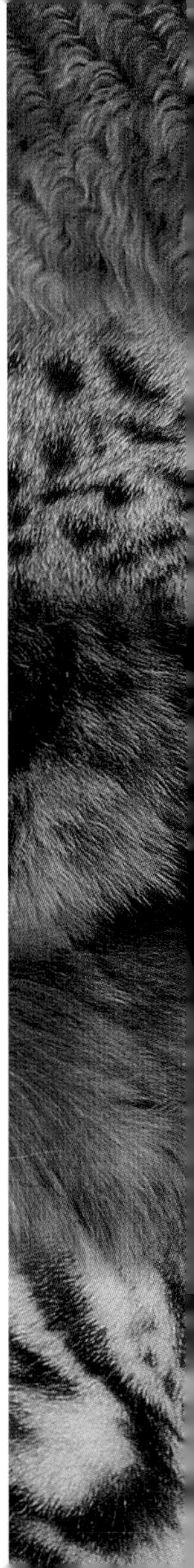

Chaton chartreux
Le chartreux peut mettre deux ans à atteindre son aspect définitif. Avant cet âge, on tolère un pelage plus fin et plus soyeux que le pelage d'adulte idéal. Chez les très jeunes chats, la couleur des yeux peut aussi être moins brillante : elle a plus d'éclat lorsque le chat grandit, puis se ternit avec l'âge.

Tête large mais pas ronde, au menton haut

Grands yeux ronds, de couleur cuivrée ou dorée

Tête du chartreux
La tête du chartreux est large, mais pas tout à fait sphérique. Le museau se révèle assez étroit mais les coussinets des moustaches et les lourdes mâchoires l'empêchent de paraître trop pointu. L'expression de la face est douce, légèrement souriante.

Carte d'identité

Date d'origine avant le XVIIIe siècle

Lieu d'origine France

Ascendance chats domestiques

Croisements ultérieurs aucun

Autre nom aucun

Poids 3 à 7,5 kg

Caractère calme et attentif

UN PEU D'HISTOIRE Probablement originaires de Syrie, les ancêtres du chartreux sont arrivés en France par bateau. Au début du XVIIIe siècle, ce spécimen fut décrit par Buffon comme le « chat de France » et baptisé d'un nom latin, *Felis catus cœruleus*. Après la Seconde Guerre mondiale, ce chat avait presque disparu ; il fut ressuscité grâce à des croisements entre des individus survivants, des persans bleus *(p. 6)* et des british bleus *(p. 168)*. Le chartreux gagna l'Amérique du Nord dans les années 1970, mais il ne fit l'objet d'un élevage que dans quelques pays européens. La F.I.Fé rassembla le chartreux et le british bleu sous le nom de chartreux dans les années 1970, mais ces races sont de nouveau distinctes aujourd'hui.

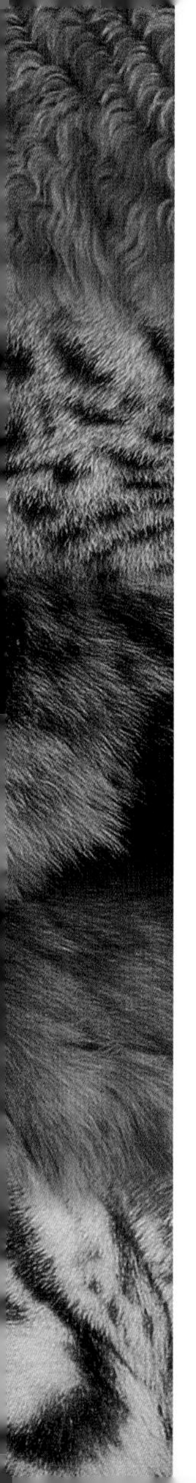

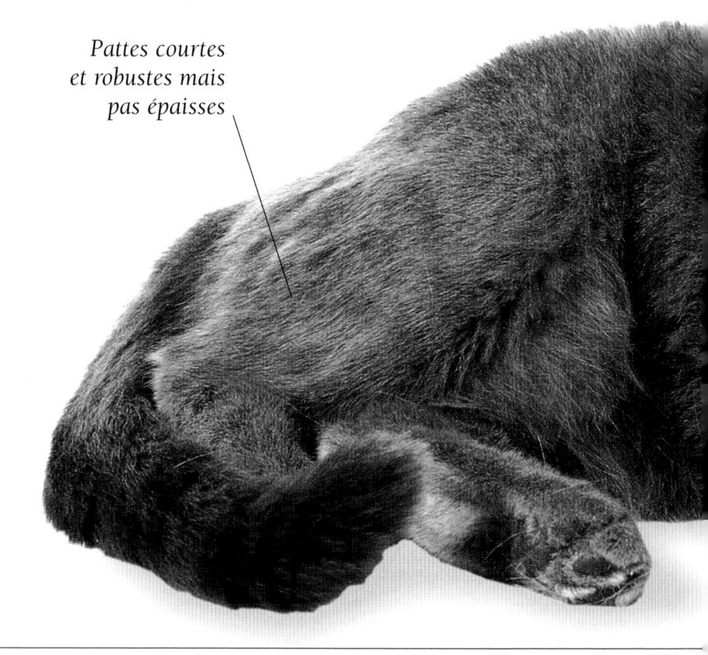

Pattes courtes et robustes mais pas épaisses

Morphologie du chartreux

Le chartreux n'est ni trapu ni élancé – il a été qualifié de « primitif ». Il fut aussi, avec moins de bonheur, surnommé « pomme de terre sur allumettes », en raison de la finesse de ses pattes. Nous savons que le chartreux actuel ressemble beaucoup à ses ancêtres, car la description première de la race reste inscrite dans le standard.

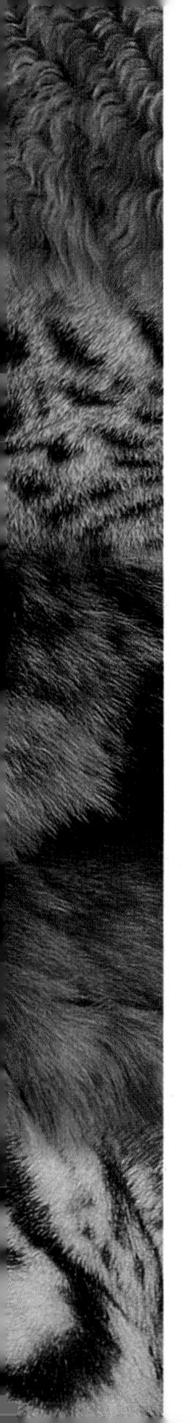

CHAT RUSSE À POIL COURT

Le chat typique original de ce groupe est le bleu russe, très digne et réservé. Particulièrement méfiant, il est sensible aux changements de son environnement et se montre réservé devant des étrangers. Il possède une robe épaisse et lustrée et des yeux émeraude. Son pelage double, dense et isolant procure une sensation unique au toucher. La couleur typique des yeux de ce spécimen a une origine récente ; les premiers bleus russes ayant participé à la première exposition féline occidentale, au Crystal Palace, en 1871, avaient les yeux jaunes. Ce ne fut qu'en 1933 que le standard exigea des yeux « du vert le plus intense possible ». Doux et paisible, cet animal est un compagnon idéal.

CARTE D'IDENTITÉ

DATE D'ORIGINE avant le XIXe siècle

LIEU D'ORIGINE Arkhangelsk (port russe)

ASCENDANCE chats domestiques

CROISEMENTS ULTÉRIEURS chats domestiques

AUTRES NOMS chat d'Arkhangelsk, foreign blue, chat maltais, spanish blue, russian shorthair

POIDS 3 à 5,5 kg

CARACTÈRE réservé et prudent

Bleu russe

Le bleu russe est, aux yeux de certains, le seul « chat russe » acceptable. Les reflets argentés de son pelage bleu uni lui confèrent un aspect lumineux – nombre d'éleveurs affirment que moins la robe est brossée, plus elle devient brillante.

Tête au front particulièrement haut
Grands yeux en amande, très écartés
Corps puissamment musclé, sans être trapu ni lourd
Pattes longues mais solides

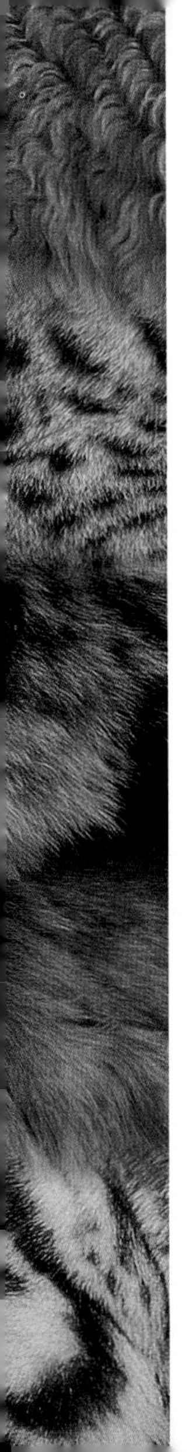

UN PEU D'HISTOIRE Selon la légende, le bleu russe serait issu de mascottes de marins transportées du port russe d'Arkhangelsk en Grande-Bretagne, au XIXe siècle. Ce chat est mentionné dans l'ouvrage de Harrison Weir, *Our Cats (Nos chats)*, publié en 1893, mais entre 1917 et 1948 il fut baptisé foreign blue. Le bleu russe actuel possède du sang de british bleu *(p. 168)* ainsi que de siamois blue point *(p. 281)*, conséquences des efforts britanniques et suédois pour ressusciter la race dans les années 1950. Les chats russes noirs et blancs ont été élaborés en Nouvelle-Zélande et en Europe ; acceptés en Grande-Bretagne, ils ne sont enregistrés ni par la F.I.Fé. ni par les associations nord-américaines.

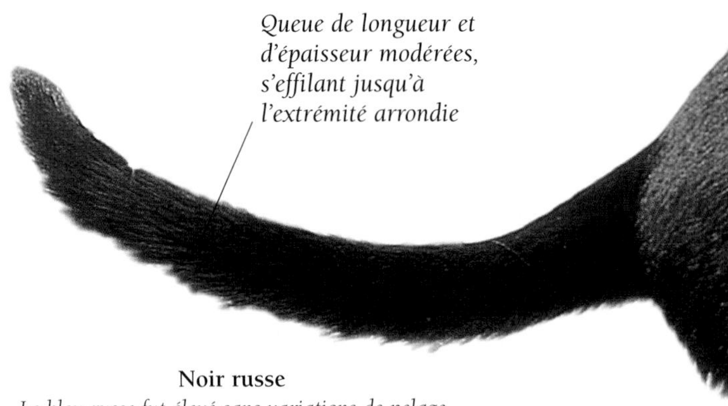

Noir russe

Le bleu russe fut élevé sans variations de pelage pendant des siècles, car le gène de dilution de la couleur, récessif, ne masque aucune autre couleur. Le noir russe et le blanc russe, élaborés récemment, sont controversés par certains éleveurs. Les réactions sont encore plus fortes devant le russe blue point, résultant de croisements avec des siamois.

Couleurs de robe

COULEUR UNIE
noir, bleu, blanc

Pelage double au sous-poil très dense

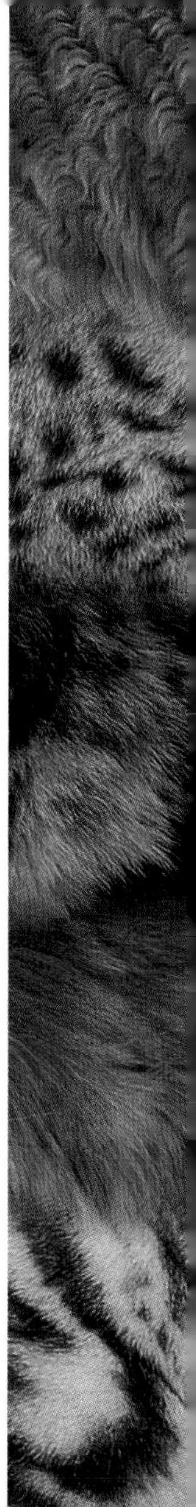

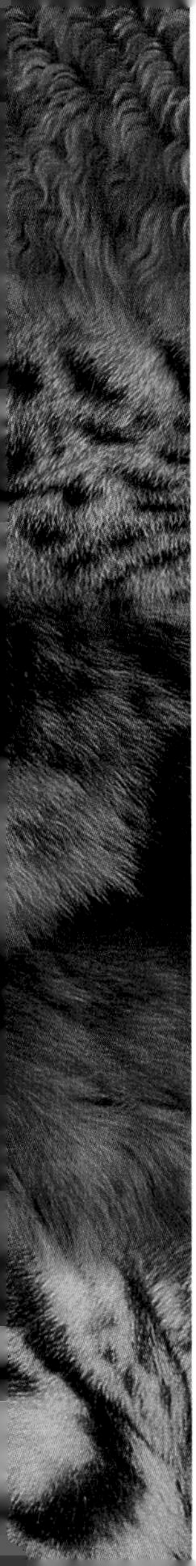

HAVANA

Élégant et gracieux, le havana est un chat très actif. Il aime énormément jouer à cache-cache et sauter de derrière un meuble pour surprendre son maître ; c'est également un excellent grimpeur. Bien que ses origines soient les mêmes que celles de l'oriental à poil court (*p. 292*), il a évolué vers une ressemblance avec le bleu russe (*p. 224*). De taille modérée, il est haut sur pattes et plutôt lourd. Les chatons et les jeunes adultes arborent des marques tabby « fantômes » qui disparaissent avec l'âge, laissant derrière elles une robe brune aux nuances acajou.

Queue de longueur et d'épaisseur moyennes

COULEURS DE ROBE

COULEUR UNIE
chocolat, *lilas*

Chocolat

Le standard de cette nuance de marron varie considérablement d'une race à l'autre. Chez le havana elle est d'un brun chaud, virant vers le rouge. Une robe zibeline foncé est considérée comme un défaut sérieux.

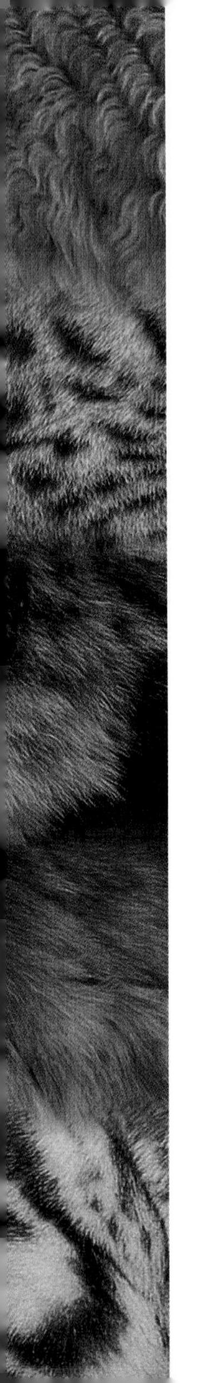

Tête du havana
La tête allongée, qui présente une rupture légère derrière les coussinets des moustaches, s'effile jusqu'au museau mince. De profil, le menton, puissant, donne au museau une apparence carrée.

Un peu d'histoire Au cours des années 1950, les éleveurs britanniques élaborèrent un chat de type siamois couleur chocolat. Il fut baptisé havana, mais la race fut enregistrée sous le nom de chestnut brown foreign. Des havanas furent exportés aux États-Unis, où naquit un individu duquel sont issus tous les havanas nord-américains d'aujourd'hui. Les chestnut brown foreign continuèrent à être importés en Amérique, et à être enregistrés comme havanas, jusqu'en 1973. À cette date, la C.F.A. admit l'oriental à poil court : le havana fut alors enregistré comme oriental à poil court chestnut (châtaigne). Par malchance, la robe de l'oriental à poil court appelée chestnut en Amérique du Nord, est baptisée havana en Grande-Bretagne, ce qui crée une confusion complète.

CARTE D'IDENTITÉ

DATE D'ORIGINE années 1950

LIEU D'ORIGINE Grande-Bretagne et États-Unis

ASCENDANCE siamois chocolate-point, bleus russes

CROISEMENTS ULTÉRIEURS aucun

AUTRE NOM aucun

POIDS 2,5 à 4,5 kg

CARACTÈRE doux et sociable

Lilas

Le bleu russe fut utilisé pour la création du havana ; il a introduit le gène de dilution récessif, responsable de la couleur lilas.

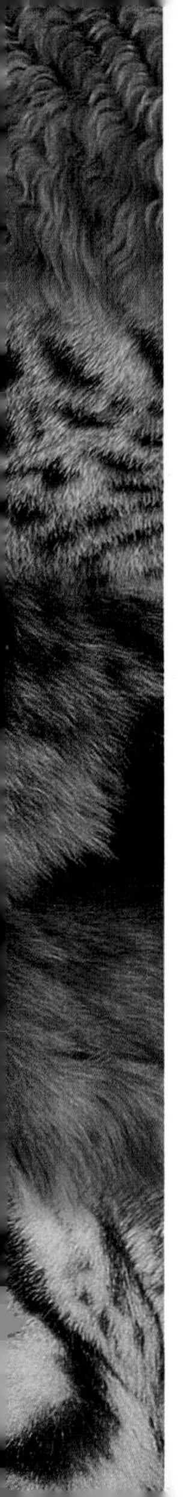

ABYSSIN

Les marques presque transparentes de la robe de ce chat sont dues à un seul gène, remarqué pour la première fois chez cette race. Ce gène donne à chaque poil plusieurs bandes sombres, régulièrement réparties sur un fond plus clair, ce qui fait apparaître un pelage tiqueté très frappant. Les oreilles de l'abyssin s'ornent parfois de touffes de poils qui ajoutent à l'étrangeté de son aspect. Souvent silencieux, ce chat n'est pourtant pas de tempérament calme ; très attaché à son maître, il réclame une attention constante. Athlète naturel, il aime grimper partout où il le peut, pour explorer tous les objets possibles : rideaux, barrières, arbres et même corps humains.

COULEURS DE ROBE

TABBY (TIQUETÉ)
rouille, roux, bleu, fauve
chocolat, roux lié au sexe, lilas, crème, écaille chocolat, cannelle, écaille-de-tortue, écaille bleu, écaille lilas, écaille fauve

SILVER TABBY (TIQUETÉ)
toutes les couleurs du tabby tiqueté standard

CRÈME CHOCOLAT

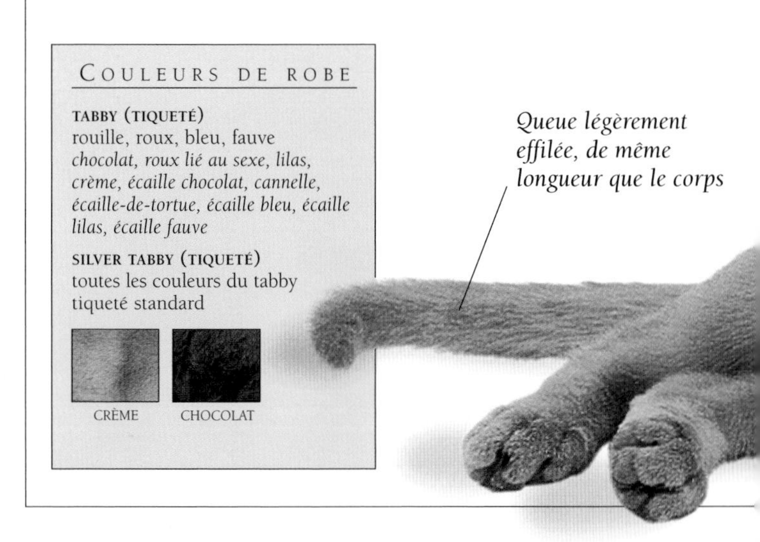

Queue légèrement effilée, de même longueur que le corps

Chaton lilas

Création récente, l'abyssin lilas est une version diluée du chocolat. Les deux couleurs furent introduites grâce à des croisements avec des chats orientaux dans les années 1970, mais elles ne sont toujours pas acceptées par les registres les plus traditionnels.

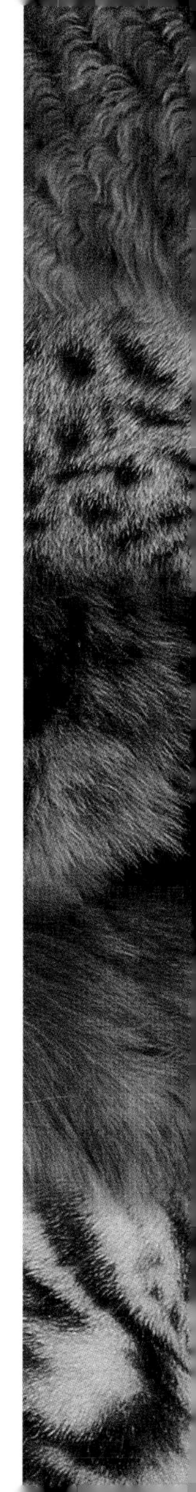

Abyssin lièvre

Variété d'origine, l'abyssin lièvre est génétiquement un agouti noir, couleur communément appelée brun pour les autres marques tabby. Sa robe, évoquant le pelage du lapin de garenne ou du lièvre, lui valut le nom de « chat-lièvre » et de « chat-lapin ». Cette couleur, aujourd'hui plus rousse qu'auparavant, est appelée usual en Grande-Bretagne et ruddy en Amérique du Nord.

Tête de l'abyssin

La tête est anguleuse et présente, de profil, un stop léger (ci-dessous à droite). Les yeux légèrement en amande sont verts, noisette ou ambre.

Carte d'identité

Date d'origine années 1860

Lieu d'origine Éthiopie

Ascendance chats domestiques éthiopiens

Croisements ultérieurs aucun

Autres noms les noms changent en fonction des couleurs de robe

Poids 4 à 5,5 kg

Caractère réclame de l'attention

Mâle bleu
Le chat possède un ventre couleur crème pâle qui ressort bien sur les tiquetures d'un bleu-gris chaud de la robe. Tout comme le « lièvre », le bleu possède des coussinets foncés.

Pattes de longueur moyenne, minces et élégantes

Chaton beige faon

Cette couleur est la dilution du sorrel (alezan), autrefois baptisé crème, mais d'aspect moins brillant que la couleur crème liée au sexe. Ces teintes ne sont acceptées que par quelques associations, mais en Grande-Bretagne les roux et crème authentiques sont admis dans les concours.

Pelage plat et fin, rêche au toucher

« Red » ou sorrel

Autrefois baptisée « red » (roux) dans tous les registres, cette couleur est actuellement nommée sorrel en Grande-Bretagne. Il ne s'agit pas du roux lié au sexe, mais du marron clair récessif, plus communément appelé cannelle chez les autres races.

Un peu d'histoire Le « ticking » de l'abyssin est un camouflage parfait dans les régions d'Afrique du Nord, chaudes et sèches. Les chats fondateurs de la race furent exportés d'Abyssinie (actuelle Éthiopie) en Grande-Bretagne après la guerre qui ravagea ce pays en 1868. Il existe de fortes similarités entre les premiers abyssins et certaines représentations égyptiennes de félins, suggérant que la mutation déterminant les tiquetures s'est produite il y a plusieurs millénaires. Enregistré en 1882, l'abyssin disparut presque totalement en Grande-Bretagne au début du XXe siècle, mais vers les années 1930 il connut un renouveau en France et aux États-Unis – il est aujourd'hui très populaire en Amérique du Nord. Les standards diffèrent selon les associations : en Europe, l'abyssin est admis sous de nombreuses variétés de robe.

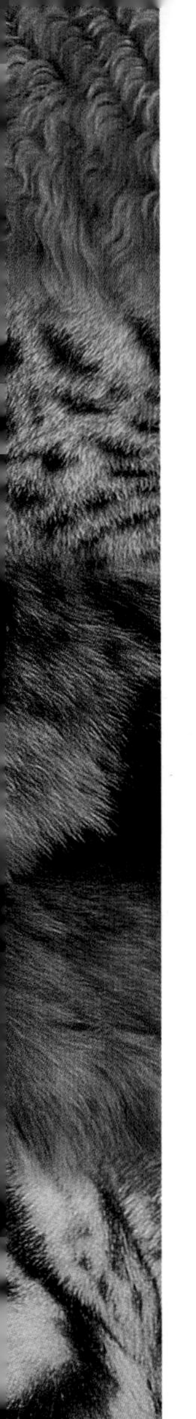

SPOTTED MIST

Cette race fut la première à avoir été entièrement élaborée en Australie. Le spotted mist fut conçu pour être un chat domestique joueur et affectueux. La douceur de son tempérament est appréciée, et tout signe d'agressivité lors des concours félins lui fait perdre des points. Semblable, sur beaucoup de plans, à l'asian tabby tiqueté *(p. 260)*, il est de taille moyenne, de morphologie plutôt « foreign », et arbore un pelage court légèrement bouffant. Les marques tiquetées délicates créent une apparence brumeuse qui explique le nom de la race. Six couleurs sont admises ; l'aspect définitif de la robe met parfois un an à s'établir, et sur certains pelages les taches sont à peine visibles.

Gold

Cette couleur, transmise au chat par ses ancêtres abyssins, est sur le plan génétique baptisée cannelle. Grâce aux actions combinées des gènes, la robe s'orne ici de marques gold et bronze sur un fond crème.

Corps de taille moyenne modérément musclé

COULEURS DE ROBE

TABBY (À LA FOIS MOUCHETÉ ET TIQUETÉ)
bleu, brun, chocolat, gold, lilas, pêche

Yeux dorés
en amande,
légèrement
obliques
Pattes de longueur
moyenne, ni minces
ni épaisses
Queue de longueur moyenne,
s'effilant doucement
jusqu'à l'extrémité arrondie

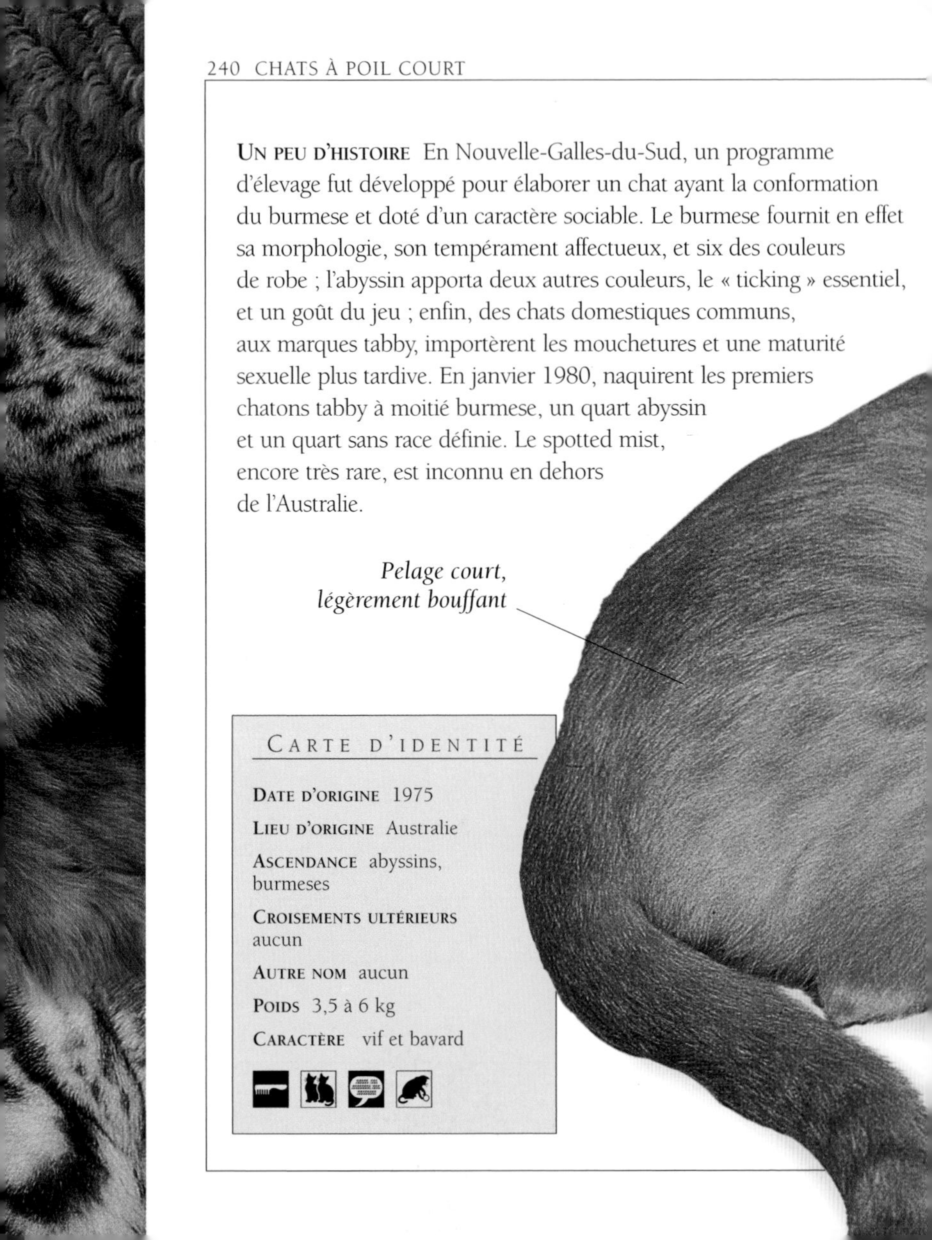

UN PEU D'HISTOIRE En Nouvelle-Galles-du-Sud, un programme d'élevage fut développé pour élaborer un chat ayant la conformation du burmese et doté d'un caractère sociable. Le burmese fournit en effet sa morphologie, son tempérament affectueux, et six des couleurs de robe ; l'abyssin apporta deux autres couleurs, le « ticking » essentiel, et un goût du jeu ; enfin, des chats domestiques communs, aux marques tabby, importèrent les mouchetures et une maturité sexuelle plus tardive. En janvier 1980, naquirent les premiers chatons tabby à moitié burmese, un quart abyssin et un quart sans race définie. Le spotted mist, encore très rare, est inconnu en dehors de l'Australie.

Pelage court, légèrement bouffant

CARTE D'IDENTITÉ

DATE D'ORIGINE 1975

LIEU D'ORIGINE Australie

ASCENDANCE abyssins, burmeses

CROISEMENTS ULTÉRIEURS aucun

AUTRE NOM aucun

POIDS 3,5 à 6 kg

CARACTÈRE vif et bavard

Pêche

Des marques couleur saumon sur un fond crème rosé donnent un chat proche du rose. Au-dessous, le pelage est cannelle dilué : on voit ici l'effet combiné de gènes différents.

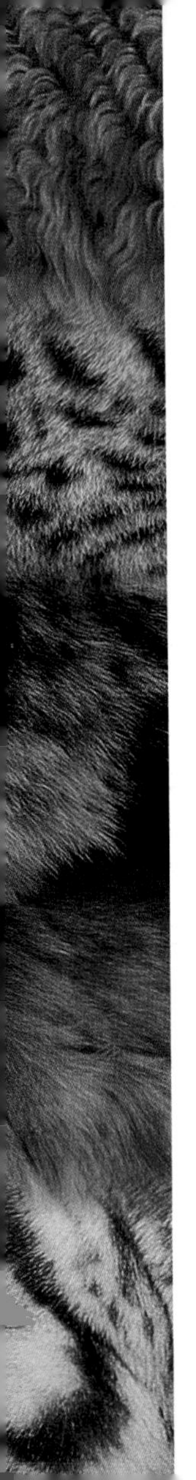

SINGAPURA

Paisible, voire un peu distant, ce chat appartient à l'une des races félines les plus petites. Le singapura est identifiable grâce à son pelage tabby tiqueté de couleur sépia. Son tempérament et ses caractéristiques physiques sont notoirement dus au résultat de pressions sélectives naturelles. À Singapour, la plupart des félins sont errants et vivent la nuit. Ceux qui attirent le moins d'attention possible sont plus susceptibles de survivre – ce qui explique la petite taille, la voix douce et le caractère réservé de l'animal. Les chats occidentaux sont plus gros que les chats de rue de Singapour, soit à cause de différences génétiques, soit à cause d'une meilleure alimentation. Selon certains, le chat commun de Singapour servit d'inspiration pour l'élaboration de la race, mais n'en fut pas le seul spécimen fondateur.

CARTE D'IDENTITÉ

DATE D'ORIGINE 1975

LIEU D'ORIGINE Singapour et États-Unis

ASCENDANCE discutée

CROISEMENTS ULTÉRIEURS aucun

AUTRE NOM aucun

POIDS 2 à 4 kg

CARACTÈRE affectueux et réservé

Chaton singapura

Le pelage des chatons correspond rarement au standard des adultes : il paraît plus long et présente des tiquetures moins développées. Toutefois, même les chatons possèdent les « lignes du guépard », qui vont du coin de l'œil jusqu'aux coussinets des moustaches.

COULEURS DE ROBE

TABBY (TIQUETÉ)
agouti sépia

Yeux en amande
légèrement obliques,
de couleur noisette,
verte ou jaune et
maquillés de noir
Tête arrondie, au museau
rectiligne, large et pointu
Pelage court,
présentant au
moins deux
bandes tiquetées

Un peu d'histoire Le nom de cette nouvelle race provient du nom malais de Singapour, ville d'où des chats de rue furent emportés, en 1975, aux États-Unis, par deux Américains, Hal et Tommy Meadows ; tous les singapuras enregistrés aujourd'hui descendent de ces animaux. Ce spécimen fut officiellement récompensé pour la première fois en 1988. Bien qu'il ait été introduit en Europe, il n'est accepté ni par la F.I.Fé. ni par le G.C.C.F. Tommy Meadows élevait également des burmeses (*p. 262*) et des abyssins (*p. 232*) ; d'aucuns prétendent qu'il utilisa ces chats pour créer le singapura. Il existe dans le monde environ 2 000 singapuras, mais le rejet de la race par les grandes associations félines pourrait entraîner son affaiblissement.

Agouti sépia
C'est la seule couleur reconnue du singapura : il s'agit d'un zibeline tabby tiqueté, combinaison alliant des gènes du burmese aux marques tabby rencontrées pour la première fois chez l'abyssin.
Pattes puissantes, sans être épaisses, sur l'arrière desquelles une bande de couleur est admise
Extrémités petites et ovales, ornées de coussinets bruns et de poils interdigitaux

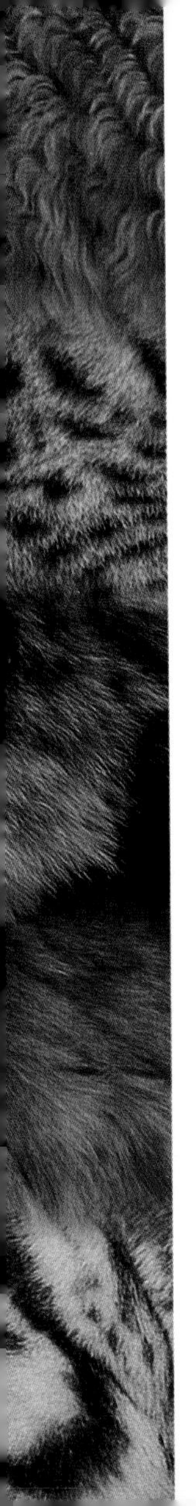

KORAT

De taille moyenne, doté d'un corps relativement lourd et d'une robe gris-bleu argenté, le korat est similaire au bleu russe *(p. 224)* sur le plan de la taille et de la couleur. Mais il est plus rond, plus musclé et ses yeux sont vert péridot plutôt que vert émeraude. Son regard proéminent lui donne une expression d'innocence, mais il se révèle têtu, parfois autoritaire. Bien que son tempérament sociable le rende joueur et capable de s'adapter, il aime n'en faire qu'à sa tête. Ayant la capacité de grogner, il peut rapidement, si l'on n'y prête pas attention, se montrer harcelant et intolérant.

UN PEU D'HISTOIRE Le livre *Poèmes du livre des chats,* datant du royaume thaïlandais d'Ayuthyâ (1347-1767), décrit le si-sawat bleu argenté, félin du Korat, haut plateau situé au nord-est du pays. Le premier korat aurait été introduit en Occident grâce à un concours félin anglais, où il figura en tant que siamois bleu *(p. 280).* Les korats modernes furent importés en 1959 aux États-Unis, où ils furent reconnus en 1965. Le premier couple fut exporté en Grande-Bretagne en 1972, où il fut enregistré en 1975. Ce chat reste rare hors de ces pays.

COULEURS DE ROBE

UNICOLORE
bleu

Bleu, seul spécimen admis
Comme c'est souvent le cas pour les races ayant évolué sous des climats chauds, le korat ne possède pas de sous-poil isolant. Son pelage bleu, seule couleur admise, est court. Certains spécimens lilas ont été créés en Europe, mais il est peu probable que les associations félines les acceptent.

Tête du korat

Avec sa tête en forme de cœur, aux lignes harmonieuses, et ses grands yeux, le korat possède une expression beaucoup plus douce que celle de ses congénères ; il n'en a cependant pas moins de caractère.

CARTE D'IDENTITÉ

DATE D'ORIGINE avant le XVIIIe siècle

LIEU D'ORIGINE Thaïlande

ASCENDANCE chats domestiques

CROISEMENTS ULTÉRIEURS aucun

AUTRE NOM si-sawat

POIDS 2,5 à 5 kg

CARACTÈRE exigeant et opiniâtre

Chaton korat

Le jeune korat ne possède pas encore le « tipping » argenté et les yeux brillants de l'adulte ; parfois, ces caractéristiques ne prennent leur forme définitive qu'au bout de deux ans.

BOMBAY

Ce chat majestueux possède une robe évoquant un cuir noir et luisant, une voix agréable et un tempérament sociable. Comme son ancêtre, le burmese, il adore la compagnie des humains et recherche les sources de chaleur. Son pelage demande un entretien réduit : il suffit de le frotter de temps en temps avec une peau de chamois ou avec la main, afin de préserver la texture et le brillant du poil. Les yeux cuivrés brillants, difficiles à obtenir, peuvent se ternir ou virer au vert avec l'âge. Les portées comptent un nombre élevé de chatons ; pourtant, le bombay reste rare hors d'Amérique du Nord.

Chaton bombay
La texture de la robe et l'intensité de sa couleur peuvent mettre deux ans à atteindre leur aspect définitif ; le standard de la race tient compte de ce délai.

Tête du bombay
Selon certains éleveurs, la tête du bombay est trop proche de celle de l'américan shorthair. En raison de son héritage burmese, ce spécimen a hérité de certaines malformations : les diverses sélections expliquent peut-être l'aspect actuel de l'animal.

COULEURS DE ROBE

UNICOLORE
noir, *zibeline*

Bombay noir

Le bombay paré d'une robe noire luisante présente un aspect unique. Son type lui vient de ses ancêtres burmeses et sa couleur de ses ancêtres american shorthairs. Le gène déterminant le « pointing » sépia étant récessif, des chatons zibeline apparaissent parfois.

Un peu d'histoire Dans les années 1950, une éleveuse du Kentucky entreprit de créer une panthère miniature à partir d'american shorthairs et de burmeses zibeline. Dix ans plus tard, elle obtint des chats pourvus d'un pelage noir et luisant, au corps musclé, à la tête arrondie et aux yeux cuivrés. Le bombay fut reconnu pour la première fois en 1976. Au fil des années, son aspect s'est éloigné de celui du burmese – il n'est plus qualifié de « burmese noir ». Il produit encore, rarement, des chatons brun zibeline au « pointing » sépia.

Pelage de texture satinée, très plat

Pattes robustes, de longueur moyenne

Carte d'identité

Date d'origine années 1960

Lieu d'origine États-Unis

Ascendance american shorthairs noirs et burmeses zibeline

Croisements ultérieurs aucun

Autre nom aucun

Poids 2,5 à 5 kg

Caractère actif et curieux

GROUPE DES ASIANS

Le nom désigne pour les Britanniques des chats dont les ancêtres étaient issus d'Asie du Sud-Est. Bien que la plupart des spécimens de ce groupe aient la même origine, les asians shaded, fumés (smoke) unicolores, tabby et tiffany *(p. 116)* présentent suffisamment de différences individuelles pour qu'ils soient reconnus par le G.C.C.F comme un groupe, plutôt que comme une seule race.

Lilas silver shaded
Le burmilla, ou asian shaded, comprend à la fois des chats aux robes shaded ou avec « tipping » – le « tipping » doit être assez soutenu pour que la robe ne paraisse pas blanche. Le sous-poil, pâle, est presque blanc chez les silver. Les marques tabby sont restreintes à la face, aux pattes, à la queue, et au collier discontinu.

Le « shading » peut être léger, moyen, ou dû à un simple « tipping ».

Couleurs de robe

BURMILLA OU SHADED (UNI, SÉPIA)
noir, chocolat, roux, bleu, lilas, crème, caramel, abricot, écaille-de-tortue, écaille chocolat, écaille bleu, écaille lilas, écaille caramel

SILVER SHADED
couleurs et marques des robes shaded

FUMÉ (UNICOLORE, SÉPIA)
noir, chocolat, roux, bleu, lilas, crème, caramel, abricot, écaille-de-tortue, écaille chocolat, écaille bleu, écaille lilas, écaille caramel

UNICOLORE
bombay, chocolat, roux, bleu, lilas, crème, caramel, abricot, écaille-de-tortue, écaille chocolat, écaille bleu, écaille lilas, écaille caramel, couleurs des sépia

TABBY (TOUTES MARQUES UNIES, SÉPIA)
brun, chocolat, roux, bleu, lilas, crème, caramel, abricot, écaille-de-tortue, écaille chocolat, écaille bleu, écaille lilas, écaille caramel

SILVER TABBY
mêmes couleurs et marques que pour les tabbys standards

Brun silver shaded

Une caractéristique frappante du burmilla est son « eyeliner » sombre naturel. Si l'on remarque également la ligne de couleur qui souligne le nez, et la truffe rouge, plutôt que rose, ces chats donnent l'impression d'avoir été maquillés.

UN PEU D'HISTOIRE En 1981, le croisement entre un burmese et un persan chinchilla produisit de ravissants chatons shaded argentés. Un programme d'élevage fut mis sur pied. La portée originale était de type burmese ; il s'agissait donc au départ d'effectuer des croisements avec des burmeses pour une génération sur deux, afin d'élargir le patrimoine génétique. En Grande-Bretagne et en Europe, d'autres accouplements burmese-chinchilla furent effectués. Le burmilla fut reconnu par le G.C.C.F. en 1989, et par la F.I.Fé. en 1994.

Fumé chocolat
Bien que les asians fumés soient, sur le plan génétique, des chats non agoutis, ils doivent présenter des marques tabby fantômes qui donnent au pelage l'aspect de la soie mouillée.

Fumé noir

Il est souvent difficile de distinguer un fumé sépia d'un fumé de couleur unie, car les robes aux nuances fumées ont tendance à être plus sombres au niveau des poils plus courts de leur « points ». Cependant, les fumés noirs n'ont pas les « points » sépia ; s'ils les avaient, la couleur serait affectée et serait un brun zibeline profond.

CARTE D'IDENTITÉ

DATE D'ORIGINE 1981

LIEU D'ORIGINE Grande-Bretagne

ASCENDANCE burmeses, chinchillas sans pedigree

CROISEMENTS ULTÉRIEURS burmeses, chinchillas avec restrictions

AUTRE NOM les spécimens fumés étaient appelés burmoires

POIDS 4 à 7 kg

CARACTÈRE détendu et affectueux

Bombay

Caractérisé par une robe noire luisante, le bombay est l'un des asians unicolores originaux. Ce spécimen ne doit pas être confondu avec le chat américain du même nom *(p. 250)**. Le type du british bombay ressemble à celui du burmese européen ; le bombay américain est une race à part entière.*

Oreilles grandes ou moyennes, bien écartées et vaguement tournées vers l'extérieur

Pattes de longueur moyenne, aux extrémités ovales

Écaille noir

Comme chez le burmese, le standard des asians écaille-de-tortue permet aux couleurs d'être soit étroitement mêlées, soit nettement juxtaposées. Les flammes faciales distinctes ainsi que les pattes et la queue d'une seule couleur sont également admises. La couleur des yeux varie du doré au vert.

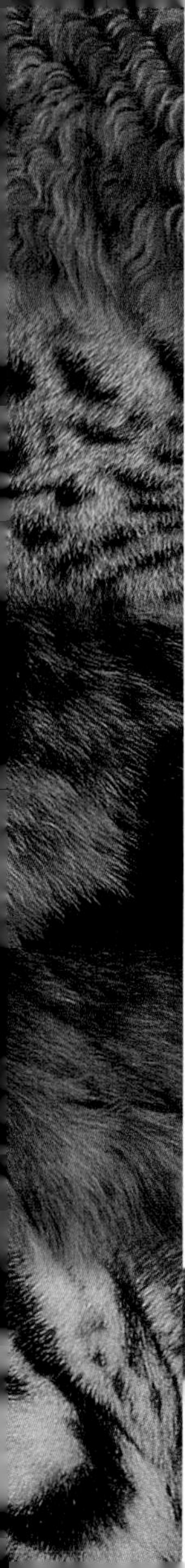

Noir tabby tiqueté

Les tabbys tiquetés existent à la fois en versions standard et silver, dans toutes les couleurs des asians. L'asian tabby tiqueté standard autorise un collier continu, mais il réclame des marques tabby sur les pattes et la queue. L'intensité de la couleur peut être réduite chez les silver tabby, mais il doit y avoir au moins deux tiquetures sombres sur chaque poil. Le ventre, plus pâle que le reste du corps, est d'une couleur assortie au reste de la robe.

Extrémités de forme ovale

Chaton bleu tabby tiqueté

Selon le standard asian, la couleur de robe du bleu est d'intensité moyenne ou soutenue, plutôt que de la nuance claire préférée par nombre d'autres races. Cette exigence permet d'obtenir un contraste net avec les marques tabby. Chez les tabbys asians, plus rares que les autres types de robe, le tabby tiqueté est le plus courant.

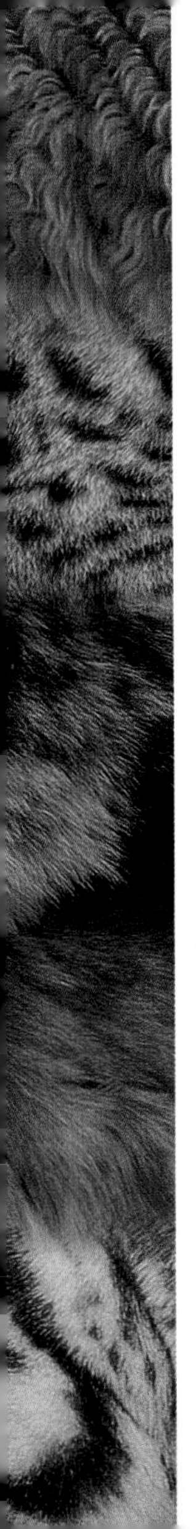

BURMESE AMERICAIN

Richement coloré, ce chat aux grands yeux fut décrit comme « une brique enveloppée de soie ». Aimant la compagnie humaine, il est pourtant moins bruyant et moins démonstratif que les autres races orientales. Le burmese nord-américain est différent de son homologue européen *(p. 268)* : le standard favorise la rondeur, notamment dans la forme de la tête. Cet aspect « contemporain » provient d'un individu nommé Good Fortune Fortunatus, qui servit à des croisements dans les années 1970. Malheureusement, il transmit aussi une malformation du crâne souvent létale, ou exigeant l'euthanasie de l'animal. Vers 1980, la couleur zibeline était la seule universellement acceptée – les chats d'autres couleurs sont reconnus par la C.F.A. comme « mandalay ». La T.I.C.A. admet un nombre beaucoup plus vaste de robes.

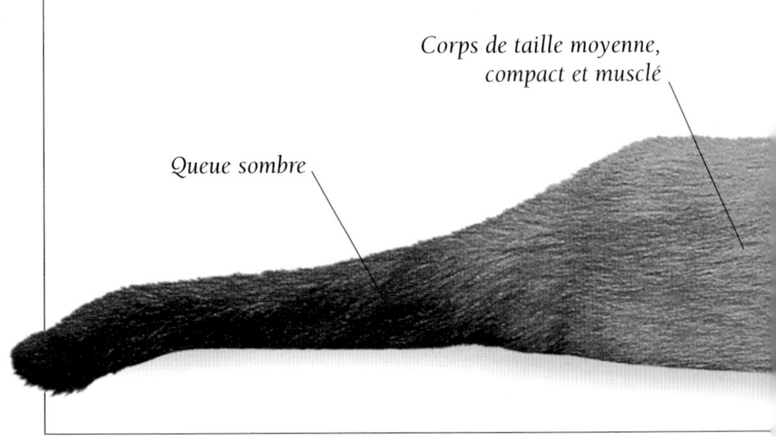

COULEURS DE ROBE

SÉPIA
zibeline, champagne, bleu, platine
autres unicolores et écaille

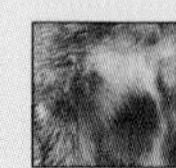
ÉCAILLE ZIBELINE (HORS C.F.A.)

ROUX (HORS C.F.A.)

CARAMEL (HORS C.F.A.)

CANNELLE (HORS C.F.A.)

Champagne
Dans la terminologie utilisées par la C.F.A. relativement aux couleurs du burmese, cette couleur est classée dans la catégorie des teintes « diluées » ; en fait, il s'agit du marron baptisé chocolat chez les autres races. Un masque plus foncé est presque inévitable sur cette robe, au corps de couleur miel.

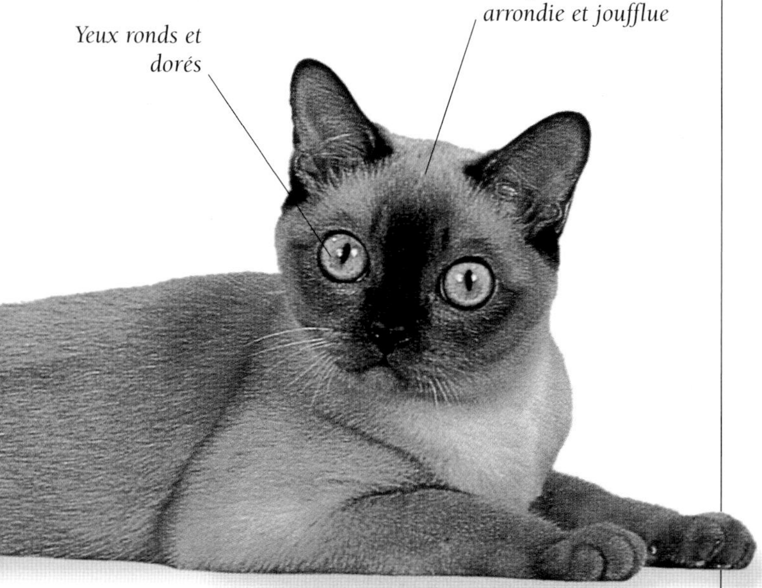

Tête joliment arrondie et joufflue

Yeux ronds et dorés

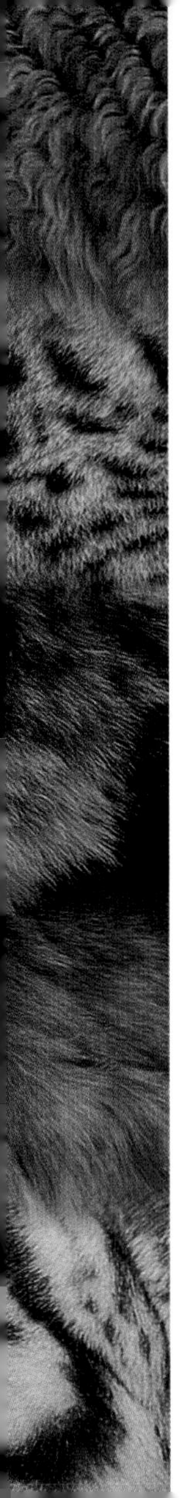

UN PEU D'HISTOIRE La fondatrice de la race burmese fut Wong Mau, petite femelle marron de Rangoon introduite aux États-Unis par un psychiatre américain, en 1930. Le maître de Wong Mau effectua un croisement entre sa chatte et un siamois *(p. 280)* et croisa un des produits de cette union avec sa propre mère. Il en résulta des chatons de trois types distincts : siamois colourpoint ; chatons marron foncé aux « points » minimaux (les premiers véritables burmeses) ; chatons au corps et aux « points » plus sombres, similaires à leur mère. Wong Mau était elle-même issue d'un croisement burmese et siamois, c'est-à-dire une tonkinoise naturelle *(p. 274)*.

Bleu

Version diluée du zibeline, l'american burmese bleu n'arbore pas la teinte anthracite givrée de nombre d'autres chats bleus. Le standard exige un fond de reflets fauves, ce qui différencie nettement ce chat du burmese européen.

Zibeline

Cette couleur fut celle des premiers burmeses – les chatons sont de teinte plus claire que celle requise par le standard, mais leur robe fonce avec l'âge. Ce spécimen doit présenter une couleur uniforme, avec un « pointing » minimal.

Givre ou platine

C'est la robe qui, dans les autres races, correspond aux couleurs lilas ou lavande. Les noms de couleur attribués au burmese lui sont propres. Comme pour le bleu, la teinte est plus chaude que chez les autres spécimens, de tonalité fauve clair. Les reflets sont également plus clairs, ce qui explique le qualificatif métallique, moins utilisé aujourd'hui.

Pelage court, fin et luisant, de texture satinée

Corps de taille moyenne, compact et musclé

Tête du burmese

La déformation du crâne dont souffrait le burmese n'empêcha pas qu'il soit reconnu par la C.F.A. jusqu'en 1995. À cette date cependant, trois chats répondant à un type « traditionnel » moins arrondi et qui ne souffraient pas de cette difformité furent primés.

Carte d'identité

Date d'origine années 1930

Lieu d'origine Birmanie (Myanmar)

Ascendance chats de temples, croisements de siamois

Croisements ultérieurs aucun

Autre nom mandalay (autrefois, pour quelques couleurs)

Poids 3,5 à 6,5 kg

Caractère amical et décontracté

BURMESE EUROPÉEN

Le burmese a évolué selon deux types différents des deux côtés de l'Atlantique. Tandis que les Américains ont élaboré un chat de conformation arrondie *(p. 262)*, les éleveurs européens, suivis par leurs confrères d'Afrique du Sud, de Nouvelle-Zélande et d'Australie, ont opté pour un chat aux formes anguleuses, bien musclé. Ce spécimen, plus oriental, possède une tête triangulaire aux yeux ovales, et de longues pattes. Indépendamment de son type et de sa couleur, le burmese est idéalement adapté à une vie domestique active.

Tête en forme de triangle ramassé

Tête du burmese

Ce spécimen lilas possède la tête et les yeux typiques du burmese européen. La couleur de ces derniers est changeante selon l'éclairage ambiant. Un jaune doré est particulièrement apprécié en Afrique du Sud.

Bleu

Le standard britannique reconnaît que le burmese est un chat colourpoint, mais exige que le « shading » soit léger et limité à la tête. Les parties déclives peuvent être plus claires que le reste du corps. Le standard du bleu réclame une couleur douce, au reflet argenté sur les zones arrondies.

Couleurs de robe

UNICOLORE ET ÉCAILLE-DE-TORTUE
brun, chocolat, roux, bleu, lilas, crème, écaille brun, écaille chocolat, écaille bleu, écaille lilas

ÉCAILLE CHOCOLAT

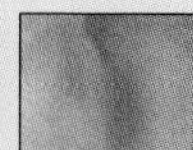

CRÈME

BRUN

LILAS

Écaille brun

La version écaille de la couleur zibeline est un brun profond aux nuances rousses et crème. Chez le burmese, les marques écaille peuvent être spectaculairement marbrées, comme le montre cette illustration. Flammes faciales et zones bien définies de couleur unie sont également acceptées.

Roux

La nuance mandarine, moins rousse que chez les autres races, est appréciée ; la peau visible peut présenter des taches de rousseur, et les marques tabby sont tolérées sur la face. Le pelage court ne peut recouvrir les vestiges de marques tabby, ce qui rend le roux uni très précieux.

Un peu d'histoire Le burmese européen est issu du burmese américain ; des chats américains furent importés en Europe après la Seconde Guerre mondiale. Le spécimen marron fut reconnu en 1952 par le G.C.C.F. Toutefois, les Européens préféraient un aspect plus oriental et désiraient obtenir davantage de variétés de couleurs. Le G.C.C.F., par exemple, ne mit que huit ans à reconnaître le bleu, tandis qu'en Amérique du Nord la C.F.A. s'y décida au bout de plusieurs décennies. La grande variété de teintes existant au sein de la race européenne est due à l'introduction du gène responsable du roux. Un autre changement survint lorsque la F.I.Fé. modifia son standard pour accepter les yeux verts.

Chocolat

Cette nuance est précisément décrite par le standard de la race comme « chocolat au lait ». Une teinte globalement régulière est préférable, mais difficile à obtenir. Bien que la couleur de la truffe soit assortie à la robe, les coussinets des pattes sont d'un rose virant vers le brun.

Écaille lilas

Cette robe, au mélange subtil de lilas et de crème, n'est pas plus recherchée que les autres robes marbrées du burmese.

Carte d'identité

Date d'origine années 1930

Lieu d'origine Birmanie (Myanmar)

Ascendance chats de temples, croisements de siamois

Croisements ultérieurs aucun

Autre nom aucun

Poids 3,5 à 6,5 kg

Caractère amical et détendu

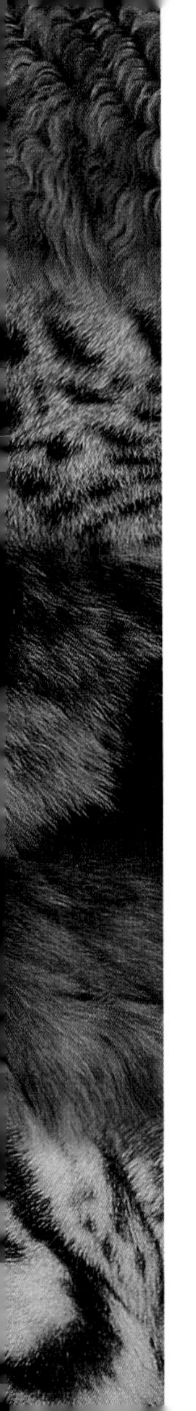

TONKINOIS

Selon certains éleveurs, ce chat ne correspond pas à une race véritable. Produit du croisement entre le burmese *(p. 262)* et le siamois *(p. 280)*, le tonkinois donne naissance à des variantes inévitables dans les marques colourpoint de ses deux parents. Mais ce phénomène existe au sein d'autres races ; en outre, les marques « vison » ne sont pas la seule caractéristique de cet animal, qui représente un parfait mélange des traits de ses parents : moins anguleux que l'un, mais plus clair que l'autre. Comme tous les chats orientaux, il est d'un tempérament alerte, curieux et affectueux. Sa beauté et son caractère sociable en font l'un des félins les plus appréciés.

COULEURS DE ROBE

UNICOLORE ET ÉCAILLE-DE-TORTUE
brun, chocolat, roux, bleu, lilas, crème, écaille brun, écaille chocolat, écaille bleu, écaille lilas
marques cannelle, fauve, colourpoint et sépia

TABBY (TOUTES MARQUES)
toutes les couleurs précédentes

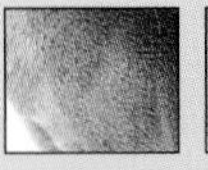

BLEU

BRUN TABBY

CHOCOLAT

ÉCAILLE LILAS

Brun ou naturel

Baptisée zibeline chez le burmese et seal chez le siamois, cette couleur porte deux noms chez le tonkinois : « naturel » en Amérique du Nord et « brun » ailleurs. La robe, marron clair, doit s'orner de « points » seal plus sombres ; la truffe et les coussinets des pattes sont également de couleur seal. Le tonkinois est bien musclé et de forme demi-foreign ; il existe de légères nuances entre les spécimens nord-américains et européens, reflétant peut-être la différence des deux types du burmese – le tonkinois européen est un peu plus anguleux que son homologue américain.

Oreilles légèrement plus hautes que larges, aux bouts ovales
Yeux bleu-vert
Corps de longueur moyenne ou grande, musclé et étonnamment lourd
Queue de même longueur que le corps, ni fine, ni épaisse

Écaille chocolat
Le « pointing » est moins apparent lorsqu'il est recouvert de marques tabby ou écaille, mais le masque et les pattes doivent rester plus sombres que le corps.

UN PEU D'HISTOIRE Selon certains éleveurs, le « siamois chocolat » des années 1880 était en fait issu d'un croisement entre le burmese et le siamois, mais il n'existe aucune preuve de cette affirmation. Le premier tonkinois d'Occident fut Wong Mau, mère de la race burmese, importée de Rangoon *(p. 264)*. Ses caractéristiques naturelles d'hybride furent conservées par sa descendance. À partir des années 1950, on chercha à recréer ce type grâce à un élevage sélectif rigoureux. Ce dernier débuta au Canada ; la race fut d'abord reconnue par la Canadian Cat Association – aujourd'hui elle est acceptée par tous les registres majeurs bien que des différences notables existent relativement à l'admission des couleurs de robe.

Crème

Pour cette couleur du tonkinois, le standard réclame des reflets « riches et chauds » se diluant dans le crème plus pâle. Les « points » peuvent être moins réguliers que pour d'autres couleurs, car les pattes sont plus claires que le masque et la queue. Il est difficile d'éliminer totalement les marques tabby des spécimens crème et roux – des traces légères sont acceptées chez des individus qui n'encourent aucun autre reproche.

Les pointes plus sombres se diluent dans le fond plus clair de la robe

Pelage soyeux, court et plat

Roux

La couleur roux clair du corps s'intensifie sur les « points », bien que les pattes restent claires. Des taches de rousseur légères peuvent apparaître sur les oreilles, les paupières, les lèvres, la truffe et les coussinets des chats roux et crème : elles ne sont pas pénalisées chez les spécimens d'âge moyen. Les individus roux et crème ne sont pas partout acceptés en Amérique du Nord.

Tête modérément anguleuse au stop léger et aux coussinets des moustaches proéminents

Lilas

Le corps du lilas est gris tourterelle rosé, et les « points » sont de la même teinte mais plus foncés – ils apparaissent nettement assez tôt chez les chatons, souvent plus clairs que les adultes. La couleur des yeux, qui n'est pas liée à la couleur de la robe, peut aller du bleu clair au vert, mais la moindre trace de jaune est éliminatoire.

Carte d'identité

Date d'origine années 1960

Lieu d'origine États-Unis et Canada

Ascendance burmeses et siamois

Croisements ultérieurs burmeses et siamois

Autre nom golden siamois (autrefois)

Poids 2,5 à 5,5 kg

Caractère sociable et intelligent

SIAMOIS

Ce chat est probablement celui que l'on identifie le plus facilement au premier coup d'œil, mais c'est aussi l'un des plus controversés. Les premiers spécimens louchaient souvent ou présentaient une queue « nouée » ; les standards incluaient d'ailleurs ces traits et réclamaient des pattes « un peu courtes ». Depuis, l'élevage sélectif a considérablement transformé l'aspect de ce chat, mais sa morphologie est sujette à discussions. Les spécimens admis par le G.C.C.F. ont un corps svelte, des pattes fines et une tête allongée aux yeux obliques et au museau effilé. Tous les siamois sont sociables et bavards.

COULEURS DE ROBE

VARIÉTÉS COLOURPOINT
seal point, chocolate point, blue point, lilac point

VARIÉTÉS COLOURPOINT SHORTHAIR (C.F.A.) versions roux, crème, écaille et tabby de toutes les couleurs ; *versions cannelle, fauve, fumé, silver et pastel point*

ÉCAILLE CHOCOLATE — CREAM POINT TABBY

ÉCAILLE LILAC POINT TABBY — CHOCOLATE TABBY POINT

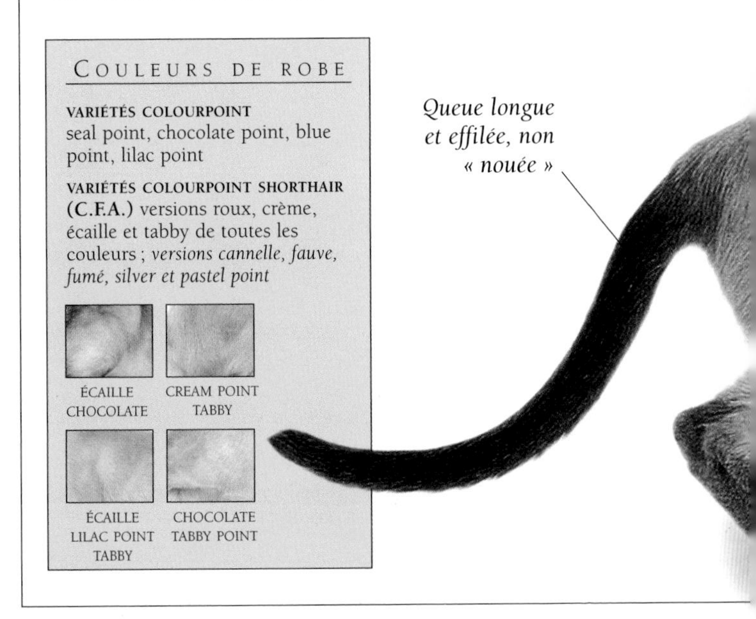

Blue point

Les spécimens blue point existent au moins depuis 1903. Dans la mesure où l'autre chat célèbre de Thaïlande, le korat (p. 246), est bleu, on peut imaginer que le gène de dilution atteignit l'Occident avec les chats thaï. Le bleu des « points » du siamois est plus clair que le pelage des chats de couleur unie.

Corps de taille moyenne, allongé et svelte

« Points » de couleur dense, bien assortis

Chocolate point

Cette robe aux « points » chocolat au lait ne fut acceptée en Grande-Bretagne que vers les années 1950. Elle est peut-être due à un gène récessif, porté par des spécimens chocolate point aux « points » foncés.

UN PEU D'HISTOIRE Les siamois sont apparus grâce à une mutation qui s'est produite il y a environ 500 ans en Asie. Au début du XVIIIe siècle, le naturaliste Peter Pallas décrivit un chat au corps blanc doté d'extrémités (oreilles, bout des pattes et queue) de couleur foncée. En Thaïlande (Siam), ces chats étaient révérés par les moines et les personnages royaux ; ils furent remarqués en Occident à l'exposition de 1871. Le siamois connut sa plus grande popularité dans les années 1950 ; le déclin actuel de sa faveur auprès du public est attribué à l'aspect « extrême » que les éleveurs ont développé.

Lilac point

En 1896, un chat fut éliminé d'un concours parce qu'il n'était « pas tout à fait bleu » – certains concours acceptaient les blue point ; il est possible que ce spécimen disqualifié ait été un lilac point. Le standard américain réclame un corps blanc, alors que le standard britannique tolère un « shading » léger.

Tête de siamois

La tête allongée doit présenter, entre les oreilles, une bonne largeur de front – ce dernier s'effilant jusqu'au museau fin. De profil, le nez, au stop presque inexistant, est rectiligne.

Carte d'identité

Date d'origine avant le XVIIIe siècle

Lieu d'origine Thaïlande

Ascendance chats domestiques et de temples

Croisements ultérieurs aucun

Autre nom chat royal du Siam

Poids 2,5 à 5,5 kg

Caractère entreprenant et énergique

Seal point

Cette couleur est la plus représentative des siamois tels qu'on les voit dans les films, les publicités et les dessins animés. Sur le plan génétique, il s'agit de la teinte noire transformée en brun phoque par le gène responsable de la robe colourpoint. Pendant un certain temps, cette nuance fut la seule acceptée : d'autres couleurs existaient, mais elles étaient classées dans le groupe des « autres variétés ». Pour certains, le seal point reste la vraie couleur des siamois.

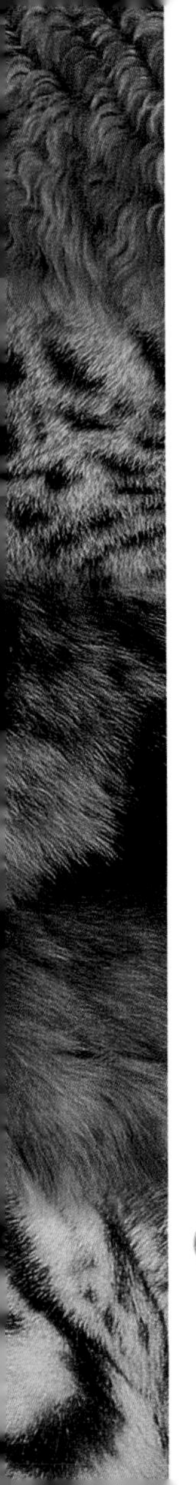

NOUVELLES VARIÉTÉS DE SIAMOIS

De nouvelles couleurs et marques tabby s'ajoutent aux quatre couleurs originales du siamois. En Grande-Bretagne et en Europe, les spécimens de toutes les couleurs et les orientaux à poil court colourpoint sont reconnus comme siamois ; en Amérique du Nord, la T.I.C.A. reprend les critères européens, tandis que la C.F.A. qualifie de siamois les quatre variétés de base, et baptise les autres « colourpoint shorthairs ».

Blue point écaille
L'introduction du gène de la couleur rousse produisit inévitablement des spécimens écaille-de-tortue. Chaque « point » doit présenter un mélange des couleurs, ne serait-ce que sur les coussinets.

Cream point

Des croisements controversés avec des persans roux tabby introduisirent ce gène chez le siamois dans les années 1930. Ces spécimens furent reconnus dans le milieu des années 1960.

Red tabby point

Les versions tabby de tous les colourpoints sont désormais acceptées. Chez tous ces spécimens, en particulier le roux et le crème, les pattes peuvent être plus pâles que chez les colourpoints de couleur dense. Le « shading » du corps ne doit pas être plus prononcé que chez les colourpoints de couleur dense, mais il doit suivre les marques tabby.

Cinnamon point

Cette couleur est l'une des plus récentes. Le corps, de couleur ivoire, s'orne de « points » brun cannelle. Comme chez le chocolate point et le caramel point, l'extrémité des pattes peut être plus claire que les autres « points ».

Chocolate tabby point

Les colourpoints tabby, remarqués depuis le début du XXe siècle, sont longtemps restés ignorés. En 1961, en Grande-Bretagne, une portée de seal tabby points fut exposée, suscitant un regain d'intérêt des programmes d'élevage et une reconnaissance, quelques années plus tard. En Amérique du Nord, ces chats sont baptisés « lynx points ».

Fawn point

Cette autre couleur très récente est la version diluée du cannelle. Le standard réclame des « points champignon rosé » sur un fond magnolia. Comme chez nombre de spécimens clairs, les pattes peuvent être plus pâles que le masque et la queue.

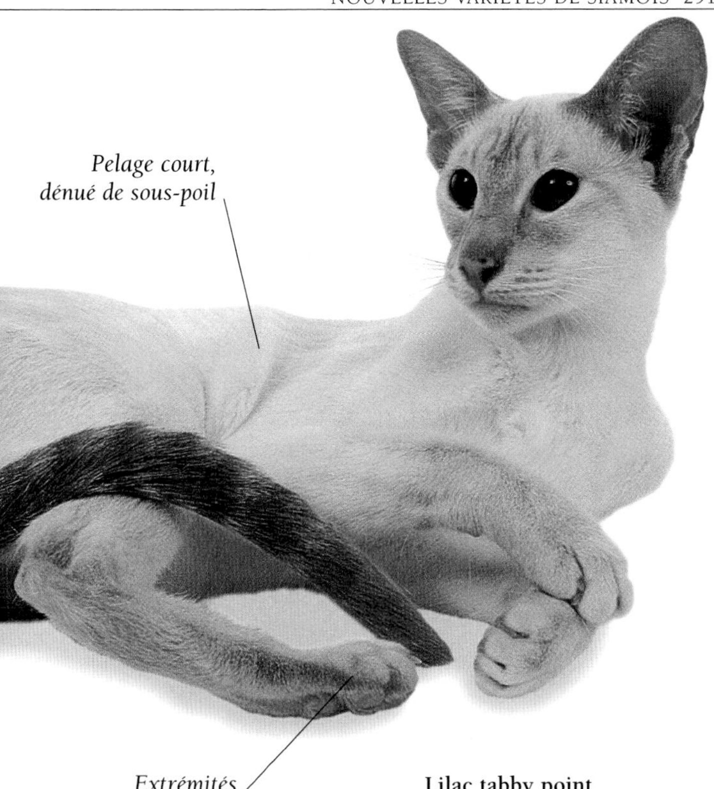

Pelage court, dénué de sous-poil

Extrémités petites et ovales

Lilac tabby point

Les « points » doivent comporter des marques tabby, qui ne s'étendent pas sur le corps ; les marques de froncement du front, en particulier, ne doivent pas envahir le reste de la tête. Le lilac tabby point s'orne de traces gris-rose sur un fond magnolia, la truffe et les coussinets présentant une teinte lilas fané ou rose.

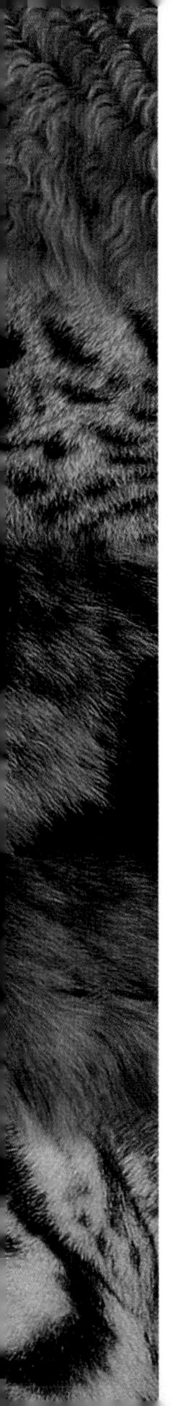

ORIENTAL À POIL COURT

Tous les maîtres d'oriental à poil court vous diront que leur chat aime se lover sur leurs genoux, devant le livre qu'ils sont en train de lire, ou encore devant le clavier de l'ordinateur. Ce chat actif et athlétique est aussi d'une sociabilité outrancière. De physique et de tempérament, c'est un siamois *(p. 280)*, doté d'un pelage entièrement coloré. Le statut des orientaux colourpoint suscite quelques discussions : la plupart des associations, excepté la C.F.A., les considèrent comme des siamois. Ces chats ont une durée de vie très longue, qui dément leur réputation de fragilité.

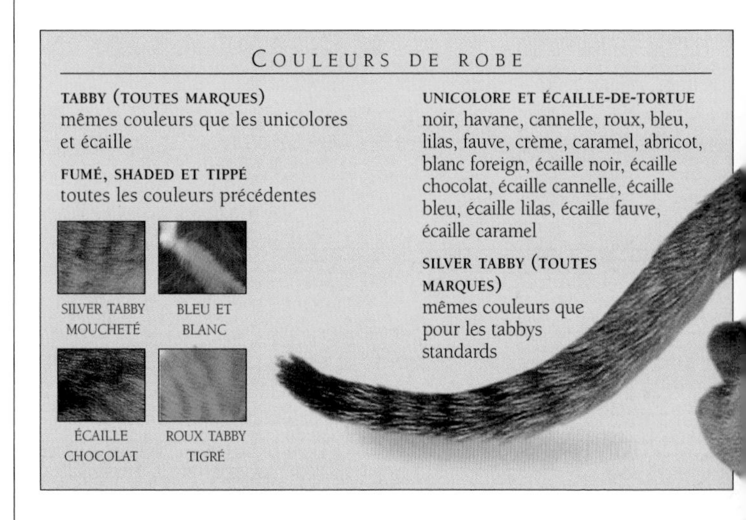

COULEURS DE ROBE

TABBY (TOUTES MARQUES)
mêmes couleurs que les unicolores et écaille

FUMÉ, SHADED ET TIPPÉ
toutes les couleurs précédentes

SILVER TABBY MOUCHETÉ

BLEU ET BLANC

ÉCAILLE CHOCOLAT

ROUX TABBY TIGRÉ

UNICOLORE ET ÉCAILLE-DE-TORTUE
noir, havane, cannelle, roux, bleu, lilas, fauve, crème, caramel, abricot, blanc foreign, écaille noir, écaille chocolat, écaille cannelle, écaille bleu, écaille lilas, écaille fauve, écaille caramel

SILVER TABBY (TOUTES MARQUES)
mêmes couleurs que pour les tabbys standards

Chaton brun tabby moucheté

Les orientaux tabby moucheté étaient autrefois baptisés « mau » mais aux États-Unis ils étaient confondus avec le mau égyptien (p. 332). Les taches doivent être rondes, nettes et régulièrement réparties.

Oriental bleu

Les chats bleus furent importés de Thaïlande au début du XIXe siècle, mais il s'agissait peut-être de korats (p. 246). On ne pourrait confondre ces races aujourd'hui : l'oriental bleu possède les yeux obliques et le corps élancé typiques de sa race.

Lilas ou lavande

Version diluée du havane, cette couleur fut l'une des premières à être élaborée dans les années 1960. Comme avec toutes les couleurs diluées, les marques tabby les plus claires apparaissent nettement : obtenir un chat unicolore est très difficile.

Tête en forme de triangle allongé, au tracé bien rectiligne

Blanc foreign ou blanc oriental

Au niveau international, cette couleur, baptisée blanc oriental, s'accompagne d'yeux verts ou bleus. En Grande-Bretagne, seuls les yeux bleus sont admis, et la désignation « foreign » implique cette caractéristique.

Carte d'identité

Date d'origine années 1950

Lieu d'origine Grande-Bretagne

Ascendance siamois, korats, persans, shorthairs

Croisements ultérieurs siamois

Autre nom autrefois nommé « foreign » en Grande-Bretagne

Poids 4 à 6,5 kg

Caractère exigeant et dévoué

Pelage très court, fin et brillant

Noir oriental

L'oriental élancé de couleur noire semble tout droit sorti d'un poster Art nouveau. La robe doit être intégralement d'un noir de jais, d'où le vert brillant des yeux ressort de façon saisissante.

Havane ou chestnut brown (brun châtaigne)
Ce brun riche et chaud, de couleur chocolat, fut baptisé havane par les premiers éleveurs, puis chestnut brown foreign, avant de retrouver son nom ancien en 1970. Il est toujours qualifié de chestnut brown aux États-Unis, car le havana est une race à part.

Un peu d'histoire Aujourd'hui, plus de la moitié des siamois sont unicolores ou bicolores ; moins d'un quart d'entre eux possèdent une robe colourpoint. Parmi les siamois introduits en Occident, il existait des individus unicolores, mais dans les années 1920 le Club du siamois de Grande-Bretagne s'opposa à « tout autre siamois que celui aux yeux bleus ». Le nombre des autres variétés décrut. Dans les années 1950, en Grande-Bretagne, un travail en faveur d'un chat chocolat conduisit à la création du chestnut brown foreign, reconnu en 1957, qui est à l'origine du havana *(p. 228)*. Jusqu'à une date récente, cette race était baptisée « foreign » en Grande-Bretagne et « oriental » en Amérique : les Britanniques vont modifier leur nom afin d'éviter toute confusion.

NOUVELLES VARIÉTÉS D'ORIENTAUX

De nouvelles couleurs et marques de robe apparaissent régulièrement au sein de la race de l'oriental à poil court. Nombre des gènes nécessaires sont présents depuis que Our Mis Smith, mère siamoise fondatrice de la race, donna naissance, dans les années 1950, à des chatons au pelage marron et aux yeux verts. Depuis, d'autres gènes ont été intentionnellement ajoutés. Aujourd'hui, il existe plus de 50 variétés reconnues.

Roux

Comme chez les autres races orientales, les nuances du roux lié au sexe apparurent tardivement, bien que le gène responsable existe en Asie. La coloration doit être régulière, mais les marques tabby sont tolérées.

Abricot

Ajout récent à l'éventail de couleurs de l'oriental, le spécimen abricot doit être d'un crème roussâtre, de nuance plus chaude et plus sombre qu'un crème véritable.

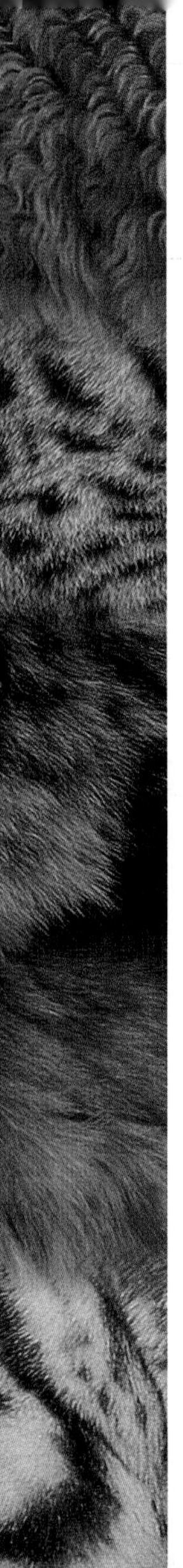

Chocolat tabby classique

Les premiers orientaux tabby étaient mouchetés, mais depuis les trois autres types de marques ont été introduits dans la race. Les lèvres et le menton de ces spécimens sont blancs, mais le blanc ne doit pas s'étendre au museau ni à la gorge.

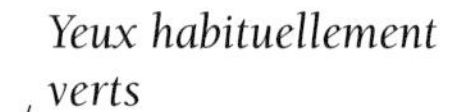

Cannelle

Bien que la couleur cannelle ait été absente chez les premiers orientaux, ce fut l'une des premières teintes ajoutées aux variétés existantes. Le gène responsable fut introduit dans les années 1960 par le croisement de havanas avec des abyssins sorrel (alezans, p. 236).

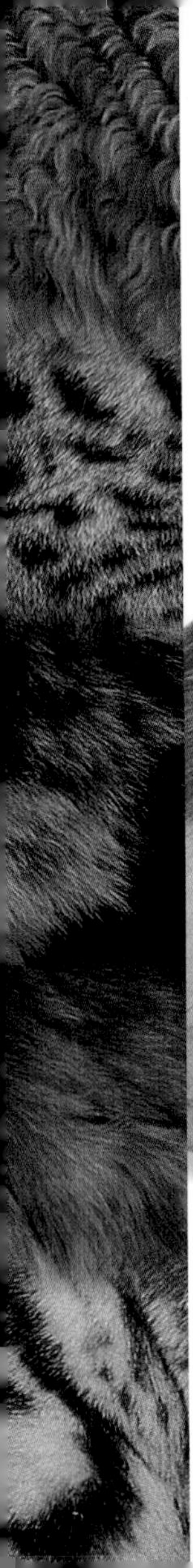

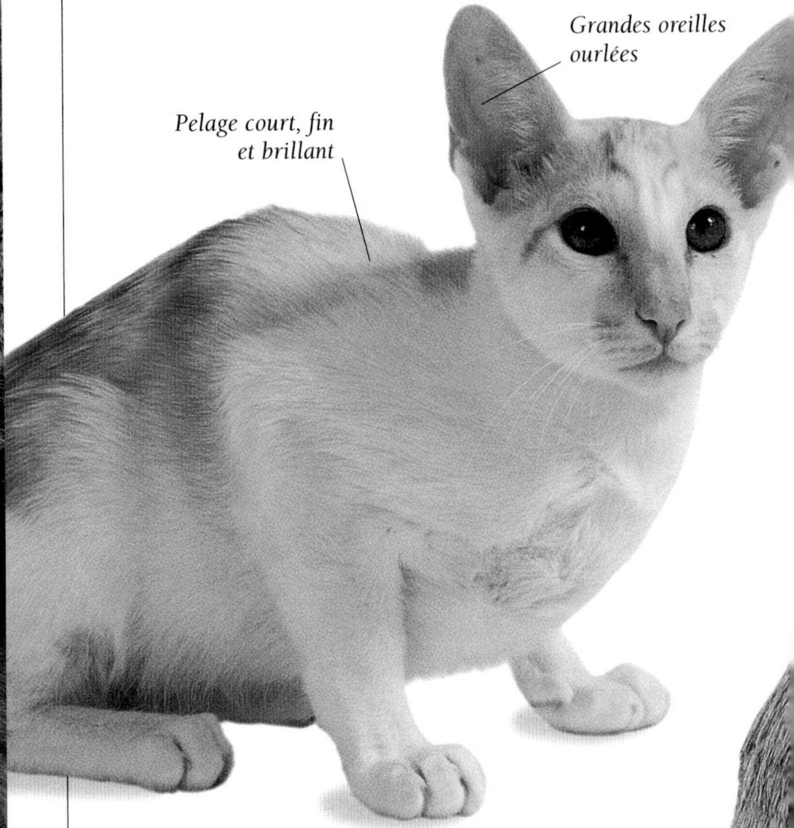

Grandes oreilles ourlées

Pelage court, fin et brillant

Roux et blanc

Les éleveurs hésitent à élaborer des chats bicolores. Des mouchetures très légères en provenance de lignées d'orientaux bicolores peuvent passer inaperçues chez un siamois, et ressurgir de façon plus prononcée au sein des générations futures.

Chocolat silver tabby

Chez les silver tabby, la couleur est restreinte à la pointe des poils, et le sous-poil est blanc. Bien que le contraste entre les marques et le fond de robe soit net, la couleur peut être si légère que les marques ne se distinguent pas sur les flancs.

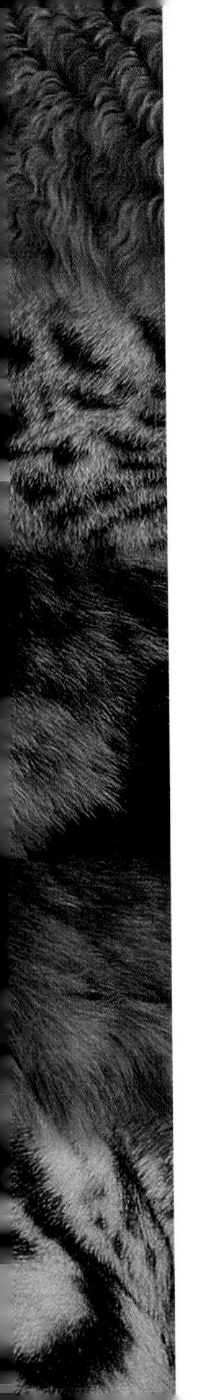

BOBTAIL JAPONAIS

Joueur et affectueux, ce chat est un compagnon particulièrement agréable à regarder. Ses ancêtres furent représentés dans des œuvres d'art japonaises anciennes, et il est probable que la superstition joua un rôle dans la perpétuation de sa caractéristique la plus remarquable : une queue de 8 à 10 cm. Dans le Japon ancien, un chat à queue fourchue était considéré comme un démon déguisé. Les félins à queue normale étaient sans doute persécutés, tandis que ceux à queue courte étaient épargnés, ce qui explique peut-être le développement de spécimens de ce type au Japon. Le bobtail est considéré comme le maneki-neko, c'est-à-dire un chat porte-bonheur.

COULEURS DE ROBE

UNICOLORE ET ÉCAILLE-DE-TORTUE
noir, roux, écaille-de-tortue, blanc
tous les autres unicolores ou écaille, colourpoint vison et sépia

TABBY (TOUTES MARQUES)
toutes couleurs

BICOLORE
noir, roux, écaille-de-tortue, tabby roux avec du blanc
toutes les autres couleurs et marques avec du blanc

BRUN TABBY TIGRÉ

NOIR ET BLANC

Mi-ke

Les bobtails écaille et blanc, baptisés mi-ke au Japon, ont les couleurs et marques les plus prisées. Les spécimens aux yeux vairons sont encore plus précieux que leurs congénères aux yeux bleus ou dorés. Le chat doit évoquer une figurine de porcelaine, à la robe d'un blanc pur et aux rares taches de couleur intense.

randes oreilles
ien espacées et
dressées
elage court
moyen, au
us-poil très
réduit
Pattes
longues et
minces, non
délicates
Queue courte
aux poils
évasés, comme
un pompon

UN PEU D'HISTOIRE Selon la légende, les chats arrivèrent dans l'archipel japonais en provenance de Chine en l'an 999 ; ils furent réservés aux aristocrates pendant les cinq siècles suivants. En réalité, ces félins furent introduits au Japon des centaines d'années plus tôt et se répandirent rapidement. Parmi ces immigrants, se trouvaient des spécimens à queue courte et épaisse. Au sein du patrimoine génétique réduit de cette population féline, dû à l'insularité du pays, le gène récessif déterminant la faible longueur de la queue se répandit. En 1968, une éleveuse américaine établit le premier programme d'élevage de bobtails hors du Japon.

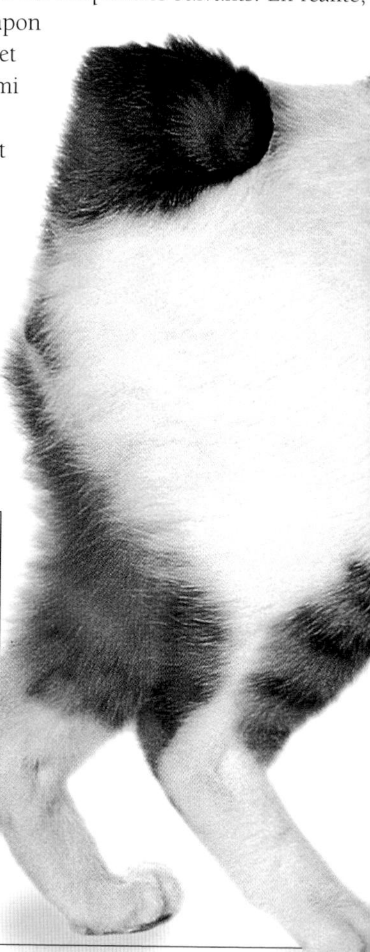

CARTE D'IDENTITÉ

DATE D'ORIGINE avant le XIXe siècle

LIEU D'ORIGINE Japon

ASCENDANCE chats domestiques

CROISEMENTS ULTÉRIEURS aucun

AUTRE NOM aucun

POIDS 2,5 à 4 kg

CARACTÈRE sensible et alerte

Roux tabby et blanc

Le bobtail s'est transformé depuis son arrivée en Occident. Tout comme ce mâle, il était, à l'origine, d'apparence moins délicate. Il possédait une tête plus large et des pattes plus courtes ; depuis, les éleveurs ont affiné ces traits.

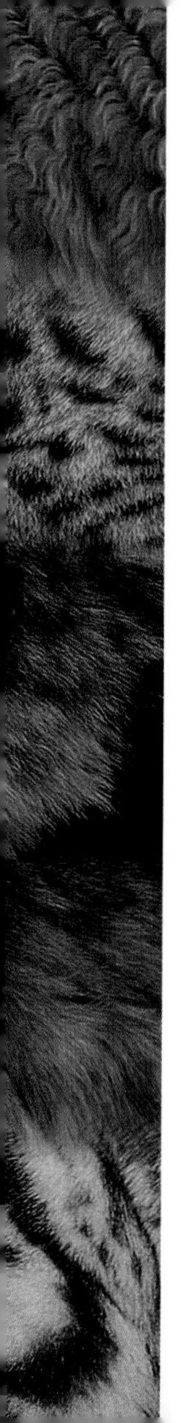

LA PERM

Des siècles durant, des mutations de type rex sont survenues et ont ensuite disparu au sein de populations félines se reproduisant en liberté. L'avènement des registres de races changea cette situation. Depuis la reconnaissance des premières races de type rex, le rex cornish *(p. 312)* et le rex devon *(p. 318)*, d'autres chats de ce type furent créés. Le la perm – littéralement : la permanente (de coiffure) –, est indéniablement celui qui porte le nom et la robe les plus originaux. Les chatons naissent avec une fourrure qu'ils perdent à un certain moment de leur vie – en général dans leur jeune âge. Le pelage qui repousse est épais et soyeux, souvent plus frisé que la robe originale. Fait inhabituel pour une race à pedigree, le standard décrit ce spécimen comme un chat de travail, « excellent chasseur ». Il existe aussi une variété à poil long *(p. 142)* ; le pelage court peut être qualifié d'ondulé, plutôt que de frisé.

COULEURS DE ROBE

UNICOLORE
toutes couleurs et marques

ÉCAILLE SILVER TABBY

BLEU

BLEU CRÈME

SILVER CANNELLE

Chaton brun tabby
Avec sa tête anguleuse, le la perm présente un aspect foreign, particulièrement apparent chez les chatons. La plupart des individus deviennent un temps entièrement chauve lorsqu'ils sont jeunes : des chatons à poil raide peuvent, après cette mue spectaculaire, se couvrir d'un poil frisé.

Tête formant un large triangle, au museau proéminent
Grands yeux en amande, légèrement obliques
Corps d'ossature moyenne, musclé, relativement lourd

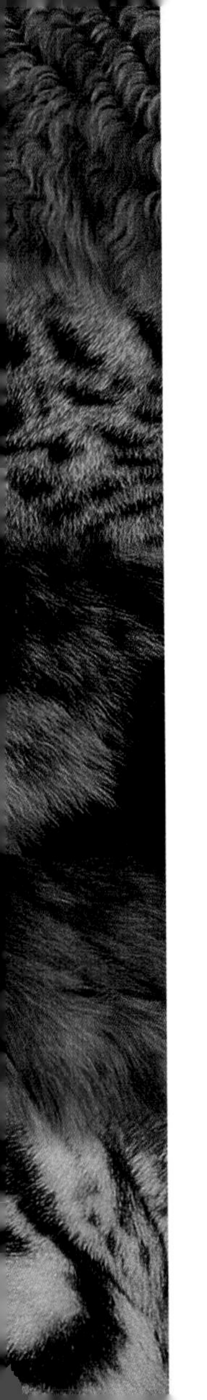

Un peu d'histoire En 1982, un chat de ferme de l'Oregon produisit une portée de six chatons qui comprenait un seul chat chauve. En dépit de cet inconvénient, le petit félin survécut et se couvrit bientôt d'un pelage. De façon surprenante, cette robe, au contraire de celle de ses frères et sœurs, était bouclée et douce au toucher. La propriétaire du chaton baptisa l'animal Curly (frisé). Au cours des cinq années suivantes, celle-ci éleva un certain nombre de chats au pelage bouclé, à partir desquels fut fondée la race la perm. Le gène de ce poil étant dominant, des croisements avec des races extérieures, afin d'élargir le patrimoine génétique, sont autorisés et permettent d'obtenir un nombre raisonnable de chatons de type rex. Seule la T.I.C.A. reconnaît ce spécimen.

Carte d'identité

Date d'origine 1982

Lieu d'origine États-Unis

Ascendance chats de ferme

Croisements ultérieurs chats sans pedigree

Autre nom dalle la perm

Poids 3,5 à 5,5 kg

Caractère affectueux et curieux

Roux tabby

Les pelages rex atténuent la netteté des marques tabby, comme on peut le constater chez le la perm. Les lignes de froncement sur le front, les traces de « mascara » des tempes et des joues restent bien visibles, tout comme les anneaux de la queue et les bandes des pattes, zones où le poil est plus court et moins frisé. La couleur des yeux ne doit pas forcément correspondre à celle de la robe.

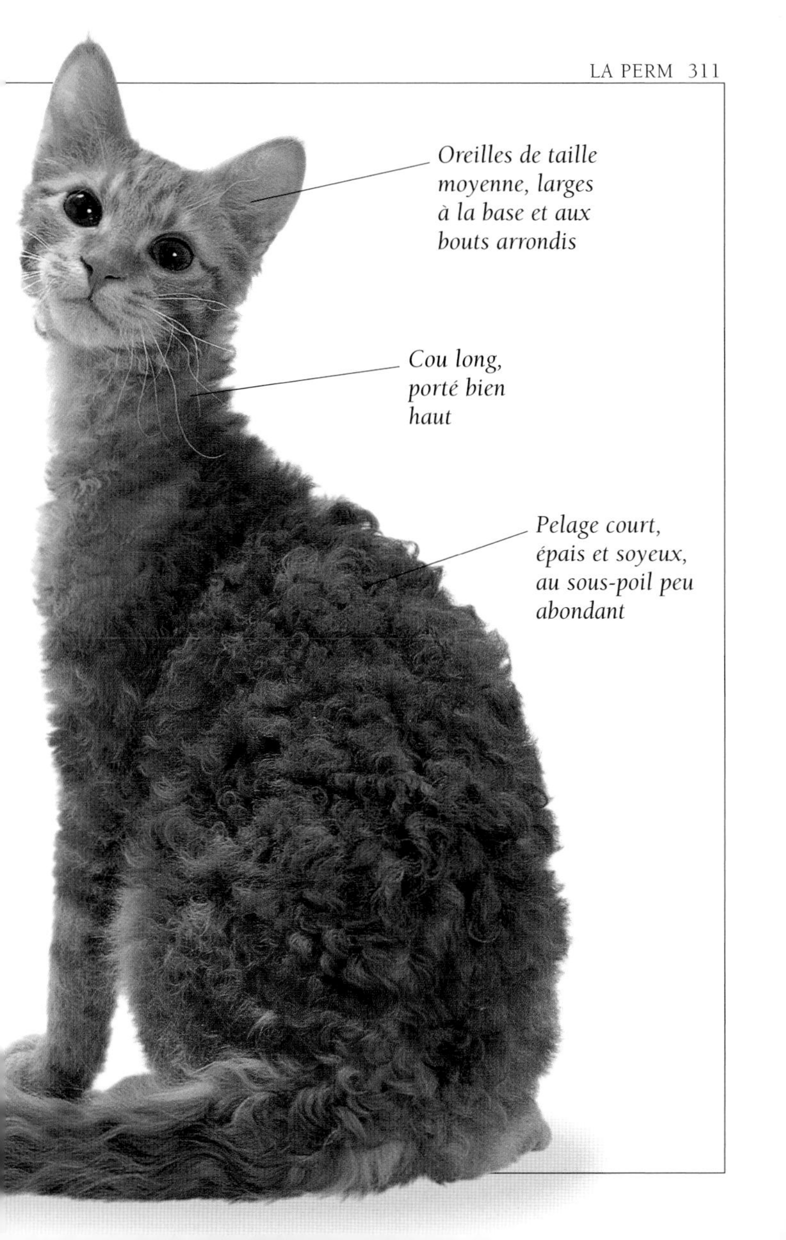
Oreilles de taille moyenne, larges à la base et aux bouts arrondis
Cou long, porté bien haut
Pelage court, épais et soyeux, au sous-poil peu abondant

REX CORNISH

Extraverti et de conformation harmonieuse, ce chat aux ondulations bien dessinées est très spectaculaire. Totalement dépourvu de poils de jarre, le pelage est, au toucher, doux comme du velours. Ce chat se distingue aussi par sa morphologie : ses très grandes oreilles, plantées haut, surmontent une tête relativement petite, et son corps arqué s'appuie sur des pattes minces et fines. Bien que le pelage soit le même des deux côtés de l'Atlantique, le rex cornish américain est légèrement différent de son homologue britannique ; il a une apparence plus délicate. Le rex cornish anglais a un torse « rentré » et pourrait être l'équivalent félin du lévrier, impression accentuée par son comportement vif. « Monté sur ressorts », il saute facilement du sol sur les épaules de son maître pour lui souhaiter la bienvenue.

COULEURS DE ROBE

toutes les couleurs et marques, y compris les sépia et vison

SILVER CANNELLE

ÉCAILLE BLANC

CHOCOLATE POINT

Fumé roux

Le rex cornish redresse bien son corps quand il se déplace en arquant légèrement le dos. Les vaguelettes du pelage sont particulièrement apparentes sur le dos et la croupe. Le gène responsable du roux était présent dès la première portée engendrée par le fondateur de la race.

Corps petit ou moyen, bien musclé et d'ossature fine

Pattes longues et très minces

Extrémités petites et ovales

Blanc

Ce mâle représente bien le type semi-foreign britannique. Le corps, d'ossature légère, est puissant et musclé, et les pattes doivent être longues et fines, sans excès. Le rex original avait un aspect foreign prononcé, mais l'apparence de la race fut déterminée par les chats utilisés au début de l'élevage, ainsi que par les choix de croisements effectués de chaque côté de l'Atlantique.

Profil britannique
Au contraire des courbes des chats nord-américains, le standard britannique du rex cornish impose une tête triangulaire au crâne plat, un menton bombé et un nez rectiligne.

Tête de longueur moyenne, au museau arrondi et au menton prononcé

UN PEU D'HISTOIRE En 1950, une portée de chatons comportant un mâle au poil frisé naquit dans une ferme de Cornouailles. Sa maîtresse reconnut qu'il s'agissait d'une mutation de type rex – un croisement de ce chaton avec sa propre mère confirma que ce trait était récessif. Les descendants furent eux-mêmes croisés avec des british shorthairs et des burmeses. En 1957, le rex cornish fut introduit aux États-Unis, où des lignées d'orientaux à poil court et de siamois furent mêlées à la race. Un spécimen similaire existait en Allemagne, élaboré à partir d'un chat de rue adopté en 1951.

Fumé noir et blanc
L'absence de poils de jarre laisse apparaître le sous-poil blanc du rex cornish fumé noir et blanc. Ce chat, de conformation typiquement nord-américaine, possède des oreilles particulièrement grandes et des traits finement dessinés.

Carte d'identité

Date d'origine années 1950

Lieu d'origine Grande-Bretagne

Ascendance chats de ferme

Croisements ultérieurs aucun

Autre nom aucun

Poids 2,5 à 4,5 kg

Caractère acrobate audacieux

Écaille-de-tortue

Chez les races délicates, telles que le rex cornish, le standard de la race favorise les femelles. Ce spécimen écaille-de-tortue présente le dos arqué et le ventre rentré requis dans les registres nord-américains.

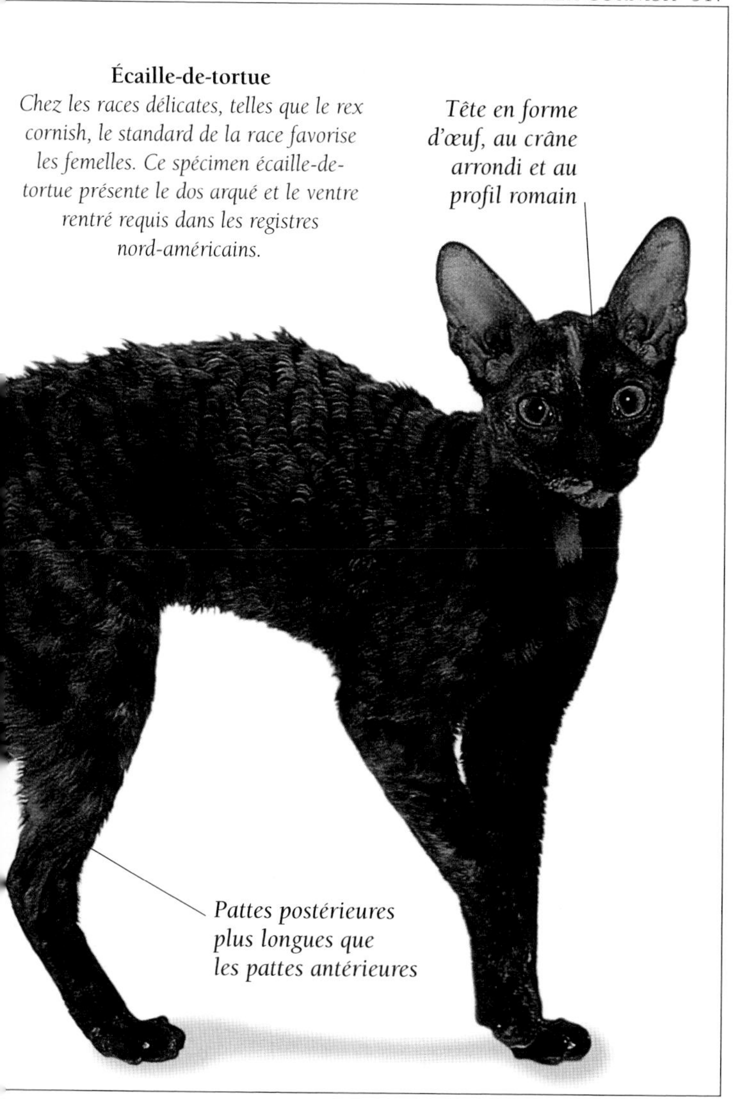

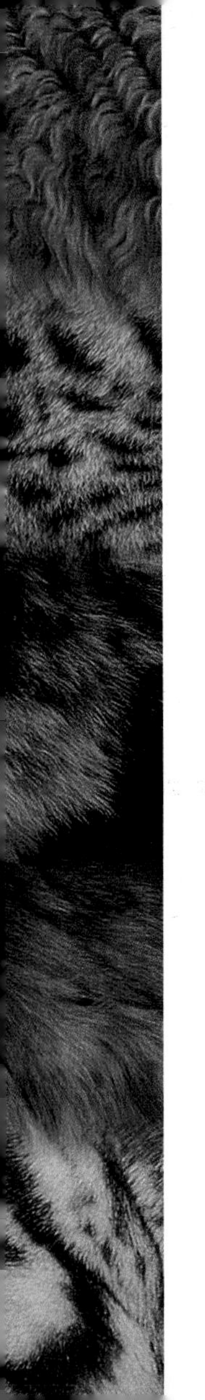

REX DEVON

Avec ses yeux saisissants au regard intense, sa grande taille et ses oreilles plantées bas, le rex devon ressemble à un lutin clownesque. Grâce à un élevage rigoureux, son pelage, qui ne présente pas les ondulations épaisses et serrées du rex cornish *(p. 312)*, atteint son aspect définitif en quatre mois plutôt qu'en un an, et est très rarement tacheté. Des croisements avec des chats à poil long, dans les années 1960, ont donné naissance à des spécimens à poil long. D'aucuns prétendent que le poil du rex devon est hypoallergénique. Selon tous les éleveurs, ce chat trouve toujours une source d'intérêt et d'amusement, ce qui lui vaut le surnom de « chat-caniche ».

Profil du rex devon
Le profil court et anguleux de ce spécimen bleu montre un front bombé et un stop bien défini. Les coussinets des moustaches sont proéminents.

Grandes oreilles très larges à la base, s'effilant jusqu'au bout arrondi

Moustaches rêches et hérissées

Couleurs de robe

toutes les couleurs et marques, y compris les colourpoints

BLANC

FUMÉ NOIR ET BLANC

Roux tabby

Ce roux tabby fut un champion. Non stérilisé, afin de pouvoir participer à des programmes d'élevage, il a développé les joues proéminentes fréquentes chez les vieux matous. Les devons stérilisés gardent leur face classique de lutin.

Un peu d'histoire En 1960, un petit chat au pelage bouclé fut trouvé près d'une ancienne mine du Devon, au sud-ouest de l'Angleterre. Un croisement avec une femelle locale produisit une portée contenant un seul chaton frisé, baptisé Kirlee, et prouvant que le gène responsable de ce pelage était récessif ; les parents étaient sans doute étroitement apparentés, et des croisement internes furent nécessaires pour perpétuer cette caractéristique. Kirlee fut croisé avec quelques femelles rex cornish, mais les petits naquirent avec des poils raides. Le gène du rex devon est dû à une mutation différente, c'est la raison pour laquelle les deux races ont été développées séparément.

Brun tabby
Sur la robe du rex devon, les marques tabby sont surtout visibles sur les pattes, où le poil est plus raide et plus frisé. Tous les types de tabby sont autorisés.

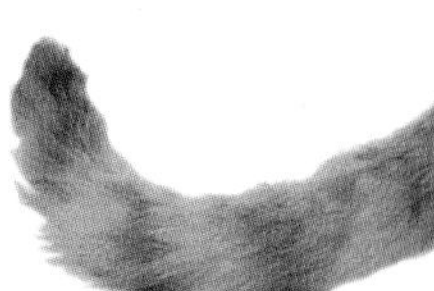

Écaille silver tabby

Durant l'élaboration du rex devon, des croisements très variés ont apporté une quantité presque illimitée de couleurs de robe. Les boucles mettent en valeur les teintes shaded et adoucissent les marques.

Pelage très court, doux et ondulé ou en tourbillon

Coussinets des pattes de couleurs variables

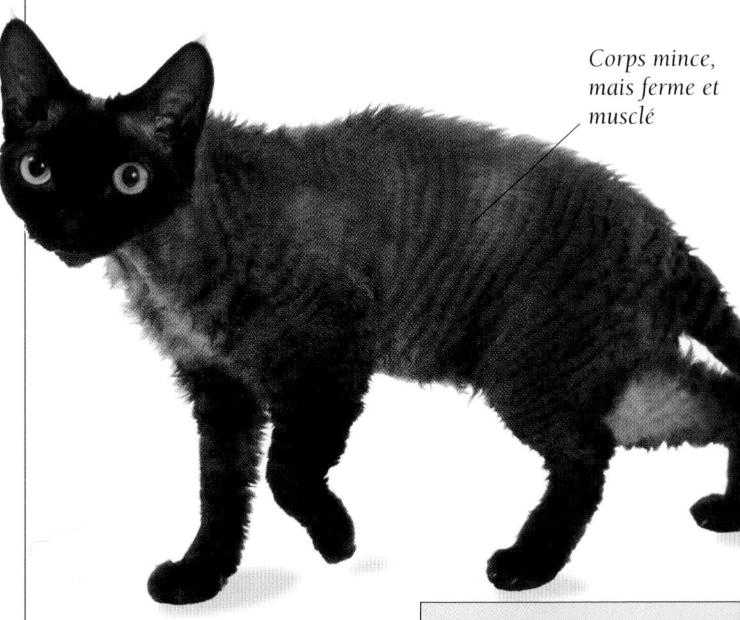

Fumé noir

Le premier rex devon était un fumé noir. En raison de sa robe bouclée, ce spécimen présente le shading fumé plus nettement que les autres chats à poil court et raide : plus la couleur est sombre, plus le contraste qu'elle présente avec le sous-poil blanc argenté est net. Depuis la fondation de la race, ces chats ont un aspect oriental, mais leur tête de lutin peut démentir la robustesse du corps.

CARTE D'IDENTITÉ

DATE D'ORIGINE 1960

LIEU D'ORIGINE Grande-Bretagne

ASCENDANCE chats errants et domestiques communs

CROISEMENTS ULTÉRIEURS british et american shorthairs jusqu'en 1998

AUTRE NOM surnommé « chat-caniche »

POIDS 2,5 à 4 kg

CARACTÈRE amusant et attendrissant

Bleu crème et blanc

Le poitrail ample du rex devon est clairement visible chez ce spécimen. Ses pattes fines peuvent donner l'impression d'une déformation osseuse, mais il n'en est rien.

SPHINX

Des chats nus sont apparus dans le monde entier à différentes époques. Le sphinx n'est pas véritablement nu mais est couvert d'un duvet « peau de pêche » court et soyeux, évoquant au toucher la peau de chamois ou le daim. Sans la protection isolante d'un pelage, ce chat, sensible à la fois au froid et à la chaleur, vit à l'intérieur de la maison. Chaque follicule vide contient des glandes sébacées : l'absence des poils absorbants exige que l'on frotte l'animal avec une peau de chamois. Le sphinx est un chat joueur et affectueux, dont le tempérament agréable est aussi unique que son aspect étonnant.

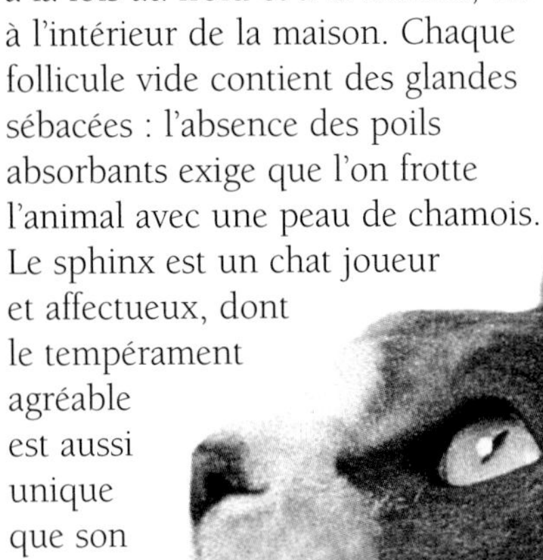

Tête du sphinx
Les oreilles incurvées, les grands yeux et la face de lutin du sphinx trahissent l'influence du rex devon. Les moustaches sont souvent broussailleuses et cassantes.

Couleurs de robe

toutes les couleurs et marques, y compris les colourpoint, sépia et vison

ÉCAILLE-DE-TORTUE	BLANC	NOIR

Bleu crème et blanc
Les robes du sphinx sont de toutes les couleurs, tout comme ses congénères couverts d'un pelage visible. L'absence naturelle de poils en dehors du duvet « peau de pêche » est essentielle : toute trace d'épilation est fortement pénalisée dans les concours.

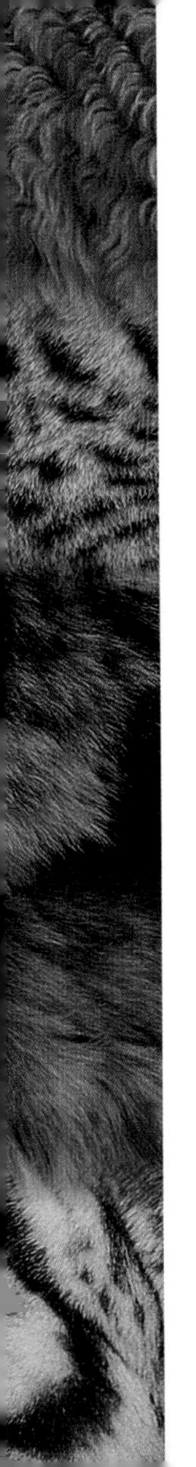

UN PEU D'HISTOIRE Le premier sphinx, nommé Prune, est né en 1966, mais sa lignée s'éteignit. En 1978, une chatte à poil long et son petit, dénué de poils, furent recueillis à Toronto. Le chaton fut stérilisé, mais sa mère eut par la suite d'autres chatons nus. Deux d'entre eux furent exportés en Europe, où l'un fut croisé avec un rex devon. Les chatons nus obtenus démontrent que le gène de nudité, récessif, est dominant sur le gène rex devon. L'un d'eux fut adopté par des New-Yorkais, qui le croisèrent avec un rex devon. Aujourd'hui, le sphinx n'est reconnu que par la T.I.C.A. ; nombre d'autres associations craignent de voir apparaître chez ce spécimen des problèmes de santé. En Grande-Bretagne, le G.C.C.F. enregistre le sphinx afin d'empêcher l'introduction du gène responsable de l'absence de poils dans les lignées de rex devon.

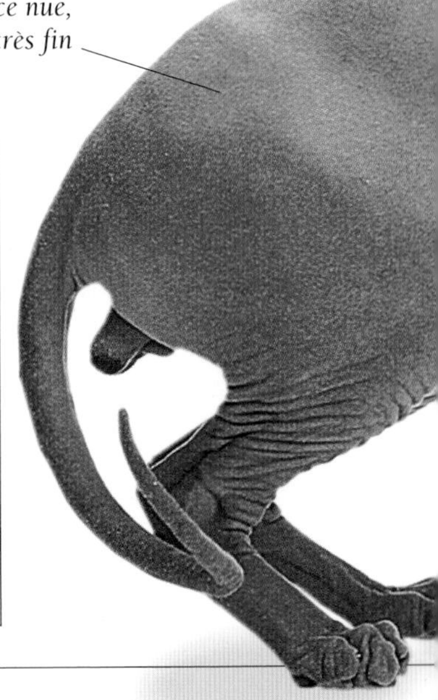

Chat d'apparence nue, recouvert d'un duvet très fin

CARTE D'IDENTITÉ

DATE D'ORIGINE 1966

LIEU D'ORIGINE Amérique du Nord et Europe

ASCENDANCE persans sans pedigree

CROISEMENTS ULTÉRIEURS devon rex

AUTRE NOM autrefois appelé chat nu canadien

POIDS 3,5 à 7 kg

CARACTÈRE espiègle

Bleu

Les couleurs prennent souvent une apparence plus chaude chez le sphinx que chez les chats couverts de poils, car le rose de la peau transparaît à travers le duvet. Un spécimen bleu peut parfois ressembler à un individu lilas d'une autre race.

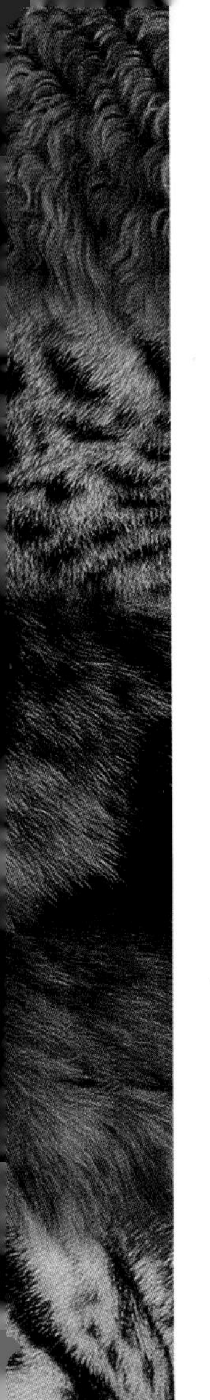

CALIFORNIA SPANGLED

Ce chat sociable présente un aspect robuste. Son corps, allongé et mince, est lourd pour sa taille. Sa tête arrondie évoque celle de nombreux petits chats sauvages et son pelage double, très dense, fut créé pour imiter les marques du léopard. L'apparence sauvage de ce spécimen indique que la diversité des robes félines n'a pas été perdue chez le chat domestique commun. Le programme d'élevage a produit un chaton noir à la naissance, sauf sur la face, les pattes et le sous-ventre, dont la couleur de robe a évolué pour devenir un pelage similaire à celui d'un guépard africain.

COULEURS DE ROBE

TABBY (MOUCHETÉ)
noir, gris anthracite, brun, bronze, roux, bleu, doré et silver

SNOW LEOPARD
mêmes couleurs et marques que pour les tabbys standards

BRUN

SILVER

DORÉ

Chaton gold

Tous les chatons california spangled naissent avec des taches. Les chatons à la robe « snow leopard » naissent blancs, et ceux aux marques « guépard » naissent noirs. Les yeux, bleus à la naissance, deviennent verts ou dorés.

Oreilles dressées aux bouts arrondis, plantées plutôt en arrière de la tête

Pattes ornées de rayures tabby

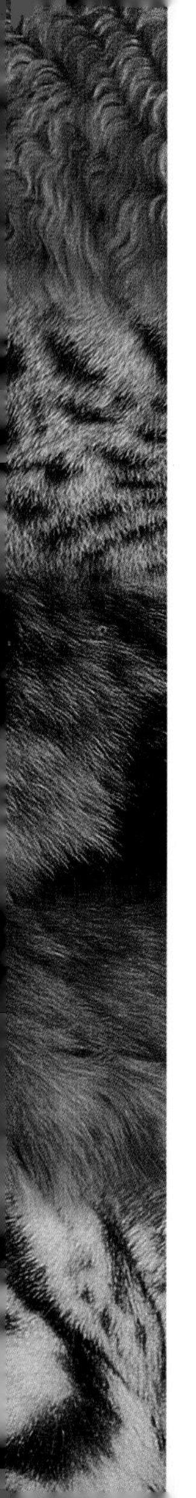

Carte d'identité

Date d'origine 1971

Lieu d'origine États-Unis

Ascendance abyssins, siamois, british et american shorthairs, manx, persans, chats des rues africains et asiatiques

Croisements ultérieurs aucun

Autre nom aucun

Poids 4 à 8 kg

Caractère doux et sociable

Bleu

Les taches du california spangled peuvent être rondes, ovales ou triangulaires : plus le chat a un aspect sauvage, mieux il est noté. Le travail sur l'élaboration de cette race et de ses marques de robe se poursuit. Le bleu n'a pas une couleur aussi froide que celle des autres bleus : dans les zones les plus pâles du corps, on aperçoit un léger reflet roux.

Un peu d'histoire Cette race fut élaborée par un éleveur californien qui entreprit de créer un chat tacheté d'aspect sauvage, sans avoir recours à des lignées de chats sauvages véritables. En utilisant des spécimens sans pedigree d'Asie et du Caire, ainsi que diverses races à pedigree (dont le manx moucheté, le persan silver tabby, le siamois seal point, le british shorthair et l'american shorthair), il obtint le félin désiré. Cette race fut « lancée » à grands renforts de publicité dans un catalogue de grand magasin, initiative impopulaire aux yeux des autres éleveurs. Le terme « spangled » est un terme d'ornithologie, désignant le plumage moucheté de certains oiseaux. Les pelages ocellés et à rosette imitent ceux de l'ocelot, du chat-tigre et du jaguar. Le california spangled n'a pas encore été reconnu.

Yeux ovales et
légèrement obliques
Tête d'apparence sauvage,
aux pommettes larges et
hautes et aux coussinets des
moustaches rebondis
Corps long
et musclé

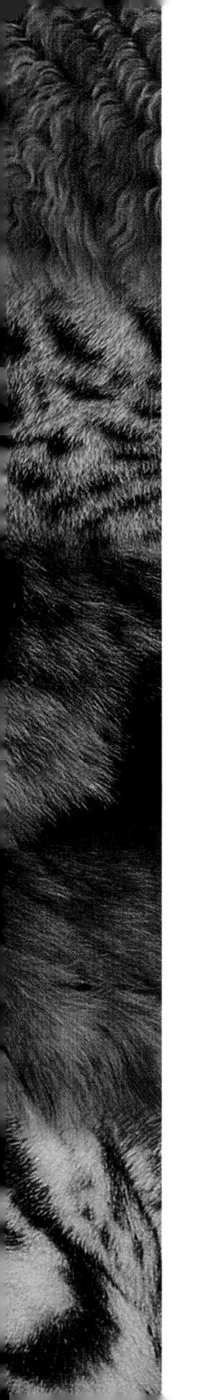

MAU ÉGYPTIEN

À beaucoup de point de vue, le mau présente une apparence similaire à celle des chats qui figurent dans les peintures murales et les parchemins égyptiens ; en fait, « mau » signifie « chat » en égyptien. Son corps est gracieux mais bien musclé, son pelage s'orne de mouchetures dans plusieurs nuances de la couleur marron originale. Seuls les yeux sont différents : les maus représentés sur des portraits anciens ont des regards exorbités, tandis que les maus actuels possèdent de grands yeux ronds, au regard inquiet. Le mau est un chat, sociable et très actif.

Queue de longueur moyenne, s'effilant de la base à la pointe

COULEURS DE ROBE

UNICOLORE
le noir existe mais n'est pas admis

FUMÉ
noir

TABBY (MOUCHETÉ)
bronze

SILVER TABBY (MOUCHETÉ)
silver

Fumé

Les maus fumés diffèrent des fumés d'autres races. Au lieu de présenter une robe unicolore sans marques tabby, ces spécimens sont des tabbys avérés. Les chats porteurs de ce type de gène sont en général shaded, mais aussi beaucoup plus clairs que les maus fumés. Le sous-poil blanc apparaît juste assez pour fournir un contraste.

CARTE D'IDENTITÉ

DATE D'ORIGINE années 1950

LIEU D'ORIGINE Égypte et Italie

ASCENDANCE chats des rues égyptiens, chats domestiques italiens

CROISEMENTS ULTÉRIEURS aucun

AUTRE NOM les noms changent en fonction des couleurs de robe

POIDS 2,25 à 5 kg

CARACTÈRE amical et intelligent

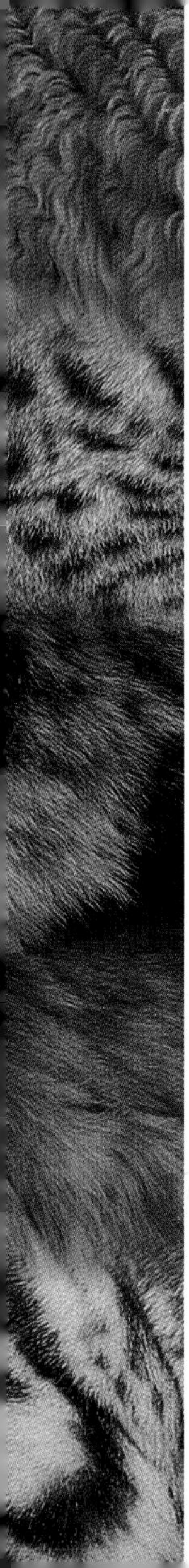

Un peu d'histoire Le mau est probablement le chat qui ressemble le plus à ses ancêtres égyptiens. Une dame russe exilée, impressionnée par les mouchetures des chats de rue du Caire, importa une femelle en Italie pour la croiser avec un matou local. En 1956, elle voyagea aux États-Unis, où les chatons produits furent enregistrés et concoururent l'année suivante. La race, reconnue par la C.F.A. en 1977, est présentée à la T.I.C.A., mais elle reste pratiquement inconnue en Europe. En Grande-Bretagne, ce chat est souvent confondu avec un oriental tabby moucheté *(p. 292)*.

Tête en forme de triangle arrondi de taille moyenne, dénuée de zones planes

Face du mau
De forme modérément typée, la face du mau n'est ni ronde ni triangulaire. Le nez conserve la même largeur du front à la pointe, le museau prolongeant harmonieusement les lignes de la tête. Des traits de « mascara » bien nets accentuent la forme des yeux.

Bronze

Il n'existe que trois couleurs chez le mau égyptien, dont le bronze est la plus ancienne. Les marques des flancs sont distribuées au hasard, mais les taches du dos s'organisent selon des lignes symétriques, se rejoignant souvent en une rayure dorsale à la naissance de la queue.

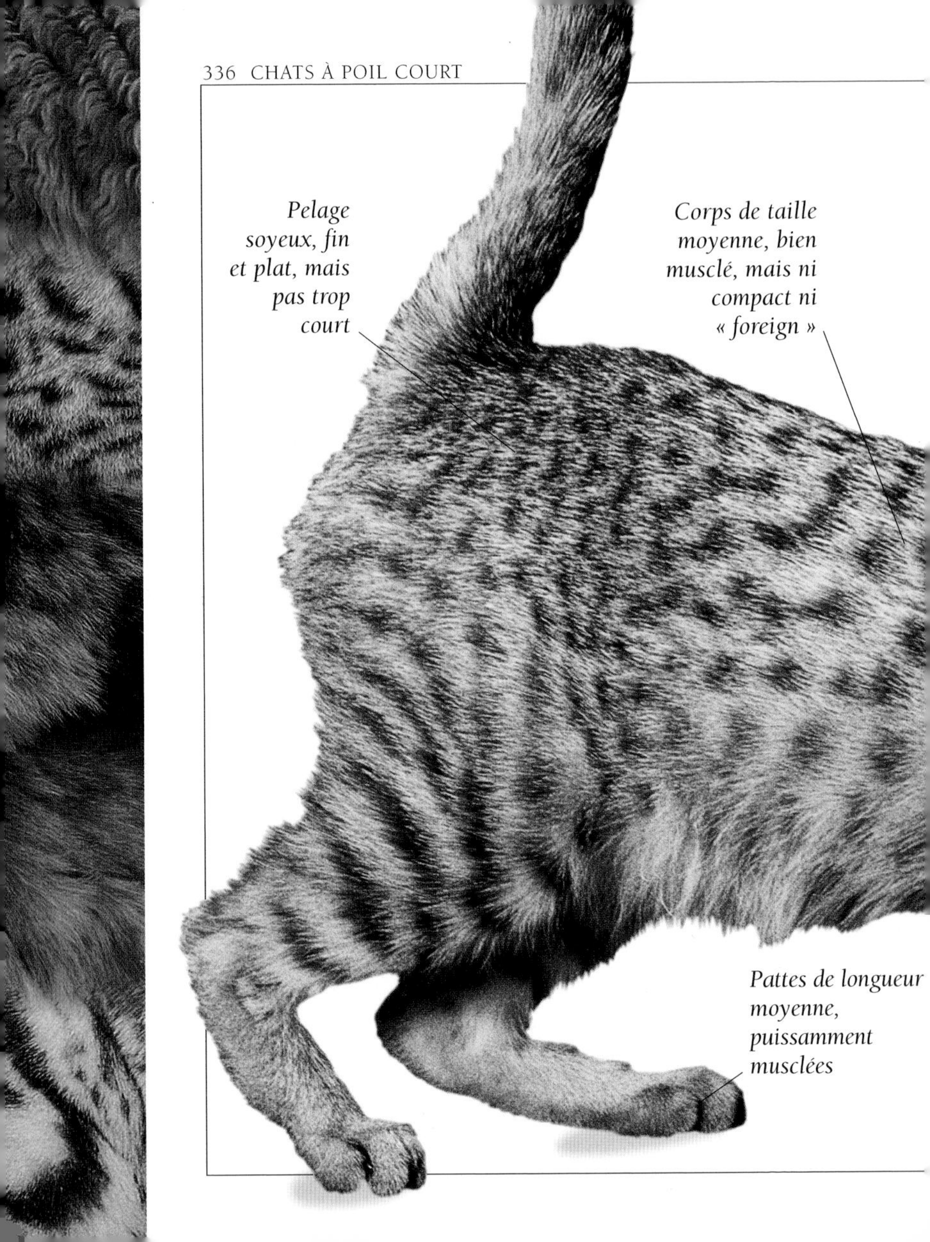
Pelage soyeux, fin et plat, mais pas trop court
Corps de taille moyenne, bien musclé, mais ni compact ni « foreign »
Pattes de longueur moyenne, puissamment musclées

Marques uniques

Les standards du mau égyptien prétendent que cette race est la seule naturellement tachetée. Dans l'idéal, les taches, qui peuvent avoir n'importe quelle forme et n'importe quelle taille, du moment qu'elles sont bien nettes, doivent être distribuées au hasard sur le torse, sans suivre la configuration d'autres marques marbrées ou tigrées.

OCICAT

Plus qu'une race supplémentaire au pelage original, l'ocicat est un mélange réussi des attributs du siamois (*p. 280*) et de l'abyssin (*p. 232*). Joueur et curieux, ce chat musclé, très solide, aime la compagnie, répond bien à un dressage précoce et supporte mal la solitude prolongée. Les mâles sont beaucoup plus gros que les femelles. Le trait le plus distinctif de cette race est son pelage tacheté. La distribution des marques doit suivre le patron des marques tabby classique, tourbillonnant autour du centre des flancs.

Lilas ou lavande
Cette version diluée de la couleur chocolat présente des taches lilas sur un fond ivoire ou chamois clair. Les standards autorisent l'aspect plus doux des marques tabby, presque inévitables sur les robes aux couleurs diluées.

Fauve ou brun

Brun sur le plan génétique, ce spécimen est appelé tawny (fauve) par la C.F.A. Il présente des taches noires ou brun foncé sur un fond rouille, héritage de la couleur chaude de ses ancêtres abyssins.

Couleurs de robe

TABBY (MOUCHETÉ)
fauve (tawny), chocolat, cannelle, bleu, lavande, fauve
marques classiques et tigrées

SILVER TABBY (MOUCHETÉ)
même couleurs que pour les tabbys standards
marques classiques et tigrées

UNICOLORE
mêmes couleurs que pour les tabbys

FUMÉ
même couleurs que pour les tabbys

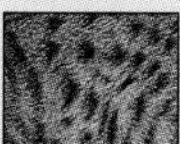
SILVER

FAUVE

Bleu silver

Le gène responsable du caractère silver fut transmis à l'ocicat par des croisements avec l'american shorthair au début de l'élaboration de la race. Toutes les couleurs silver ont un fond blanc, qui met les marques en valeur de façon vraiment spectaculaire.

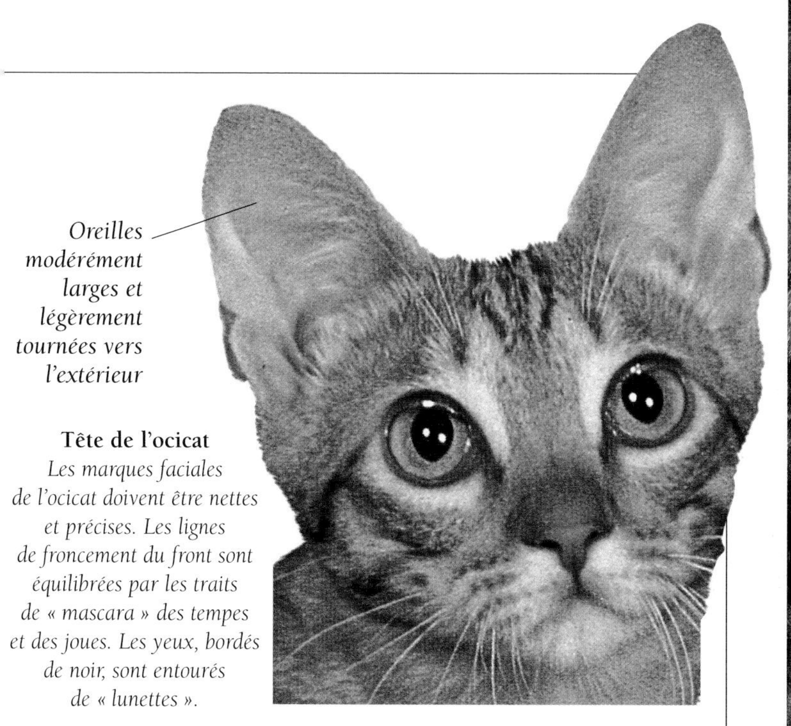

Oreilles modérément larges et légèrement tournées vers l'extérieur

Tête de l'ocicat
Les marques faciales de l'ocicat doivent être nettes et précises. Les lignes de froncement du front sont équilibrées par les traits de « mascara » des tempes et des joues. Les yeux, bordés de noir, sont entourés de « lunettes ».

UN PEU D'HISTOIRE L'ocicat est dû à un accident heureux. Une éleveuse du Michigan croisa un siamois avec un abyssin, afin d'élaborer un abyssin colourpoint. Les chatons avaient l'aspect de l'abyssin, mais lorsque l'un d'entre eux fut croisé avec un siamois, la portée produite comprenait un petit curieusement tacheté. En raison de sa ressemblance avec un ocelot, ce félin fut baptisé « Ocicat ». Stérilisé, il fut vendu comme animal domestique. Mais le croisement fut répété, donnant naissance à Dalaï Talua, femelle fondatrice d'une race encore rare. Un autre éleveur participa à l'élaboration de l'ocicat en effectuant des croisements avec des american shorthairs *(p. 190)* ; en 1986, ce chat fut officiellement reconnu par la T.I.C.A.

Chaton cannelle silver
Les marques de l'ocicat mettent du temps à se développer. Les chatons présentent parfois un trait uni le long de la colonne vertébrale, qui, avec l'âge, évolue en taches séparées.

Carte d'identité

Date d'origine 1964

Lieu d'origine États-Unis

Ascendance siamois, abyssins, american shorthairs

Croisements ultérieurs abyssins

Autre nom aci

Poids 2,5 à 6,5 kg

Caractère sociable et attentif

Cannelle
Les standards de l'ocicat réclament un aspect sauvage, et une conformation à la fois athlétique et gracieuse. Les marques débutent avec des lignes intriquées sur la face, se poursuivent par des taches sur le corps, et se terminent par des bracelets sur les pattes.

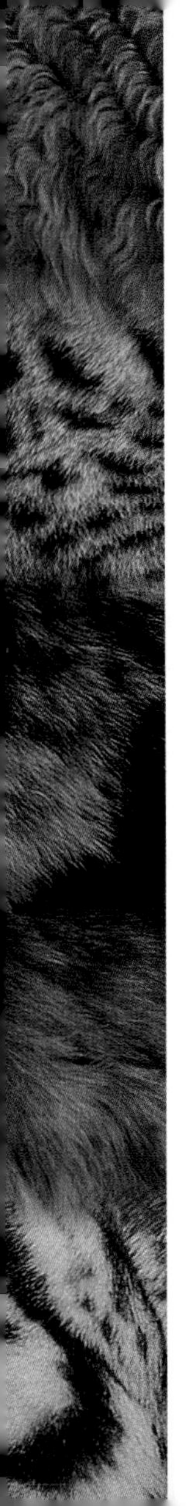

BENGALE

Encore rare, ce chat possède un pelage épais particulièrement somptueux. Les programmes d'élevage attachent une grande importance à un tempérament équilibré et stable, notamment quand le chat a des ancêtres sauvages. Au début de l'élaboration de la race, certains gènes indésirables furent introduits – ceux responsables de la dilution de la couleur, du poil long et des mouchetures, mais aussi celui déterminant la robe siamoise, qui produisit les extraordinaires fourrures « snow » (neige).

Tête du bengale
Légèrement plus longue que large, la tête du bengale possède des pommettes hautes, un museau large et un menton puissant. Des canines bien écartées contribuent à la proéminence des coussinets des moustaches. Des lignes de froncement et des traits de couleur brisés couvrent la tête ; la truffe évasée, de couleur rose, est entourée de noir.

Couleurs de robe

UNICOLORE
noir

TABBY (MOUCHETÉ, MARBRÉ)
brun, snow

Marbré brun
Ce patron évoque le pelage d'un chat sauvage, non les marques tabby classique ou moucheté. Les taches doivent être distinctes, mais non symétriques. Caractéristique spécifique du standard du Bengale, ce chat doit présenter une robe à trois couleurs – celle du fond, celle des marques sombres, et un trait plus foncé délimitant ces dernières.

Tête en forme de triangle arrondi
Cou épais et musclé
Pattes puissamment musclées
Extrémités larges et arrondies

Un peu d'histoire Lorsqu'une éleveuse de Californie acheta un chat-léopard asian en 1963 et le croisa avec un chat domestique commun, elle cherchait à fixer les caractéristiques du chat-léopard. Dix ans plus tard, un chercheur poursuivit ces croisements afin d'examiner la résistance du chat asian à la leucose féline. Le bengale naquit de ces essais : le chercheur donna huit des chatons obtenus à l'éleveuse californienne, et le premier spécimen, Millwood Finally Found, fut enregistré en 1983. À l'origine, ce félin était nerveux, mais l'évolution de la race a produit un animal plus sociable. Les premiers croisements s'effectuèrent avec des chats sans pedigree, mais lorsque le pelage léopard apparut, les individus qui le possédaient furent croisés avec un chat de rue indien et des maus égyptiens (*p. 332*).

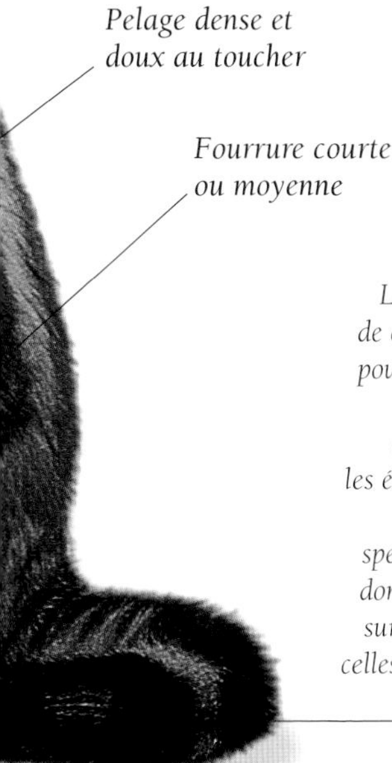

Pelage dense et doux au toucher

Fourrure courte ou moyenne

Marbré snow aux yeux bleus
Les chats « snow » sont issus de lignées de chats sans pedigree coulourpoint utilisés pour l'élaboration du bengale. Les registres sont contrôlés afin que ce genre de croisements ne se produise pas, mais les éleveurs ont profité d'un accident heureux pour créer des spécimens vraiment spectaculaires. La restriction de la couleur donne une impression de « poudre perlée » sur la robe : les marques de ces chats sont celles de leurs homologues pleinement colorés.

Carte d'identité

Date d'origine 1983

Lieu d'origine États-Unis

Ascendance chats-léopards asians, maus égyptiens, chats de rue indiens, chats domestiques

Croisements ultérieurs aucun

Autre nom autrefois nommé « léopardette »

Poids 5,5 à 10 kg

Caractère élégant et conservateur

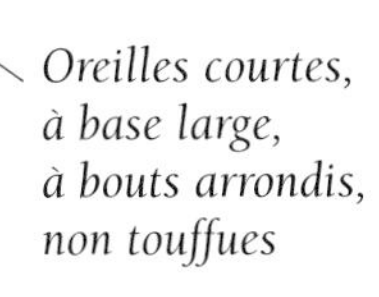

Oreilles courtes, à base large, à bouts arrondis, non touffues

Grandes oreilles ovales légèrement obliques

Poitrail large

Brun tacheté

Cette robe, la première à avoir été fixée, évoque celle du chat-léopard asian, jusqu'aux ocelles plus claires à l'arrière de chaque oreille. Le fond de robe, orange, fait ressortir les marques noires ou chocolat. Les traits de la face sont soulignés de noir, et les grandes taches rondes de la robe, devant former des rosettes ou des anneaux, sont distribuées au hasard. Toute ressemblance avec les rayures verticales du tabby tigré, motif qui sous-tend la plupart des tabbys tachetés, est évitée.

BOBTAIL AMÉRICAIN

Jusqu'à une date récente, il n'existait que deux chats à queue raccourcie ou absente. Mais au cours de ces dernières années, des races de l'ancienne Union soviétique, telles que le bobtail des îles Kurile *(p. 146)*, sont devenues plus connues ; de nouveaux bobtails ont été enregistrés en Amérique du Nord. L'americain fut le premier d'entre eux ; les ancêtres de ce chat sont mal connus, mais des gènes de bobtails japonais *(p. 304)* et de manx *(p. 176)* pourraient être présents dans la race. Au contraire des manx, les bobtails américains sans queue sont exclus des concours : ils doivent avoir une queue courte qui s'arrête au niveau du jarret.

COULEURS DE ROBE

toutes les couleurs et marques

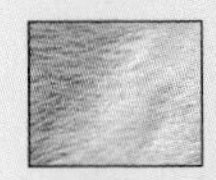

FAUVE ET BLANC

BLEU TABBY

ROUX TABBY

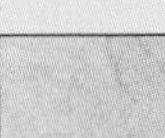

BLANC

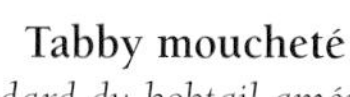

Tabby moucheté

Selon le standard du bobtail américain, celui-ci doit avoir un aspect sauvage, vigoureux et puissant. Pourvu d'une tête forte et d'un regard de chasseur, ce spécimen peut mettre trois ans à atteindre son aspect définitif. Le pelage, assez long pour être bouffant, a une apparence légèrement hirsute.

Corps semi-compact, puissamment musclé

Pattes lourdes, aux extrémités larges et arrondies

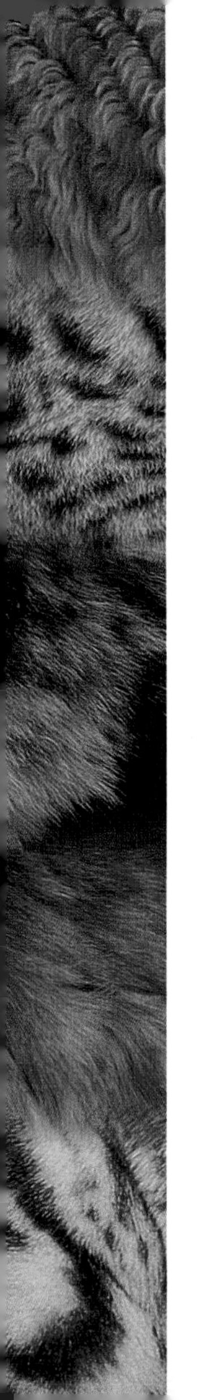

UN PEU D'HISTOIRE Un chaton tabby à queue courte, sans race définie, qui fut trouvé dans une réserve indienne de l'Arizona et adopté par un couple habitant l'Iowa, est à l'origine de cette race. Les premiers croisements visèrent à produire des chats à queue courte avec des marques similaires à celles du snowshoe *(p. 208)*, mais les spécimens produits, victimes de croisements internes, eurent des problèmes de santé. Le bobtail américain fut reconnu par la T.I.C.A. en 1989.

Queue devant s'arrêter au niveau du jarret

Oreilles de taille moyenne, larges à la base et plantées haut

Chaton tabby classique à poil long

Il existe des bobtails américains à poil court et à poil long ; ces derniers sont plus rares, dans la mesure où le poil long est un trait récessif. La robe doit être semi-longue, et des favoris sont souhaitables. Le pelage fait peu de nœuds, bien qu'il paraisse un peu hirsute.

Tête en forme de triangle aux contours arrondis

CARTE D'IDENTITÉ

DATE D'ORIGINE années 1960

LIEU D'ORIGINE États-Unis

ASCENDANCE incertaine

CROISEMENTS ULTÉRIEURS chats sans pedigree

AUTRE NOM aucun

POIDS 3 à 7 kg

CARACTÈRE affectueux et curieux

PIXIEBOB

Depuis une vingtaine d'années, les chats domestiques d'apparence sauvage sont devenus de plus en plus populaires ; les éleveurs américains ont élaboré un spécimen qui ressemble au chat de gouttière de leur pays. Malgré son aspect de chat sauvage, le pixiebob possède, dit-on, le tempérament d'un chien fidèle. Les éleveurs demandent aux futurs maîtres de bien réfléchir avant d'acquérir ce chat, car il ne s'accommode pas facilement d'un changement de maison et aime être le seul animal du foyer.

COULEURS DE ROBE

TABBY (MOUCHETÉ, ROSETTE)
brun
toutes les autres marques tabby et autres couleurs

Chaton brun tacheté
La plupart des chatons servant à l'élaboration des races ont été donnés aux éleveurs par des fermiers qui, sinon, les auraient supprimés.

Oreilles arrondies, larges à la base, et plantées un peu en arrière

Tête du pixiebob
Chez le pixiebob, les marques faciales doivent être bien nettes : lignes de « mascara » sur les joues et « lunettes » plus claires autour des yeux. Les pointes en oreille de lynx sont appréciées. Les lèvres et le menton sont d'un blanc crémeux.

UN PEU D'HISTOIRE Le pixiebob serait issu de croisements entre des chats sauvages à queue courte et des chats domestiques. Deux chats de ce type furent importés dans l'État de Washington par une éleveuse. Ils produisirent Pixie, spécimen fondateur de la race. Le pixiebob fut reconnu par la T.I.C.A. presque dix ans plus tard, mais il reste pratiquement inconnu hors de l'Amérique du Nord.

CARTE D'IDENTITÉ

DATE D'ORIGINE années 1980

LIEU D'ORIGINE Amérique du Nord

ASCENDANCE chats domestiques, probablement lynx

CROISEMENTS ULTÉRIEURS chats rayés sans pedigree

AUTRE NOM aucun

POIDS 4 à 8 kg

CARACTÈRE affectueux et calme

CHATS SANS RACE DÉFINIE

Aucune association féline ne se consacre à la promotion du chat domestique commun, dont l'histoire ne témoigne d'aucun épisode remarquable. Pourtant le chat de gouttière reste encore aujourd'hui le chat le plus populaire du monde. Sa morphologie varie selon les régions, les pays froids étant peuplés d'animaux de structure solide, et les pays chauds de spécimens plus minces et élancés.

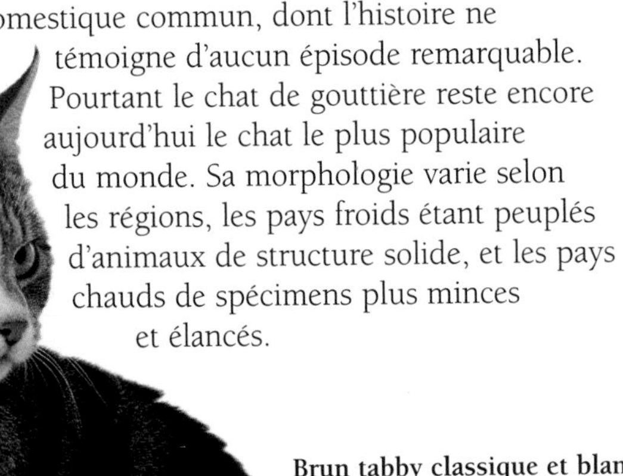

Brun tabby classique et blanc
En Europe, le tabby classique surpassa le tabby tigré vers le XVIIIe siècle. D'aucuns affirment que, en raison de sa robe plus sombre que celle du tabby tigré, ce chat pouvait se fondre plus facilement dans un environnement urbain.

Roux tabby classique et blanc

Le gène déterminant les taches blanches, dominant, explique l'abondance de spécimens bicolores chez les chats domestiques communs.

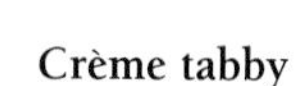

Crème tabby

Chez les premiers chats à pedigree, les crème étaient souvent considérés comme des roux « ratés ». Au fil du temps, les éleveurs se sont attachés à produire des chats d'un roux dilué, pâli, de couleur crème.

Bleu et blanc

Dans nombre de régions d'Europe, le bleu est une couleur courante chez les chats domestiques communs. Le chartreux (p. 218) est issu de ce type de populations. Les chats sans race définie sont souvent d'un bleu plus foncé que les chats de race, et la couleur de leur yeux est moins variée et moins intense.

FÉLINOTECHNIE

Prédateur aux qualités exceptionnelles, le chat, grâce à son sens de l'équilibre et à sa souplesse, peut attraper de petites proies et échapper aux gros animaux qui le menacent. Son cerveau, ses nerfs et ses glandes concourent à lui éviter des pertes d'énergie, bien qu'il soit capable de moments d'intense activité. L'anatomie du chat domestique est presque identique à celle de ses parents sauvages, les problèmes de santé qu'il rencontre étant le plus souvent causés par une maladie ou des blessures plutôt que par une faiblesse de constitution. Son appareil digestif le rend capable de subsister sans nourriture plus longtemps que n'importe quel autre animal domestique, et la fécondité

Chaton aux abois
Les chats replient leur oreilles lorsqu'ils ont peur.

de la femelle permet à cette dernière de produire trois portées par an.

Bien qu'il soit un chasseur solitaire, capable de survivre par lui-même en l'absence de congénères ou de compagnons humains, le chat évolue inexorablement vers une plus grande dépendance de l'homme. Son comportement naturel s'est modifié. Les maîtres de félins, attendris par les chatons, en ont fait des animaux adultes plus sociables qu'auparavant, mais aussi plus soumis. Toutefois, en dépit de ces changements importants, la nature profonde du chat ainsi que son instinct reproducteur sont peu susceptibles de se transformer.

Ascension verticale

Muscles puissants des pattes, articulations souples, griffes mobiles, et sens de l'équilibre sophistiqué permettent au chat de s'adapter à un environnement vertical.

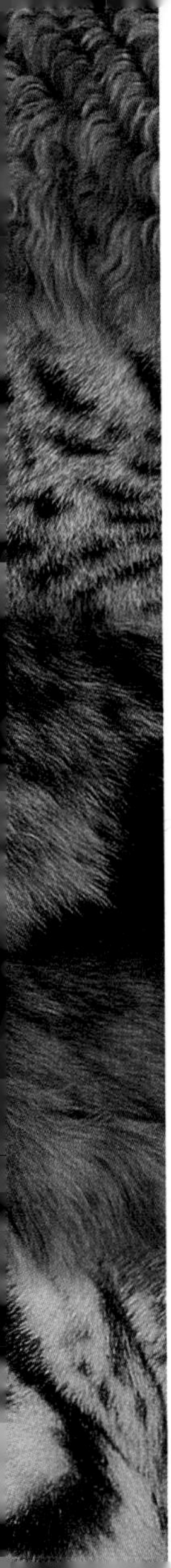

GÉNÉTIQUE

Bien que les lois de la génétique soient complexes, ce qui constitue les caractères héréditaires est relativement simple. Toute l'information nécessaire à la vie est contenue dans les gènes que renferment les cellules du corps. Chaque cellule d'un chat contient un noyau, qui abrite 38 chromosomes, arrangés en 19 paires, tout juste assez gros pour être observés avec un microscope optique puissant. Chaque chromosome est formé d'une double spirale d'acide désoxyribonucléique (A.D.N.), lui-même formé de milliers d'éléments appelés gènes, associés entre eux comme des perles. Chaque gène est constitué de quatre protéines différentes qui, combinées, fournissent les informations relatives à tous les aspects du chat.

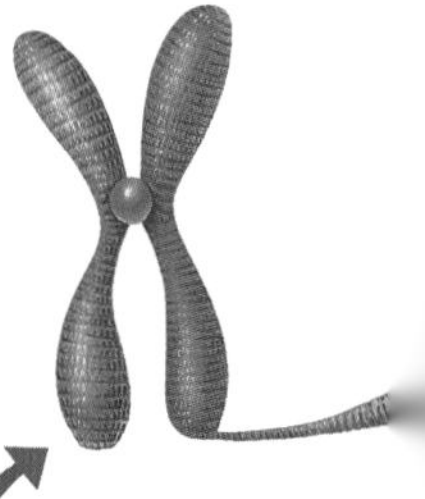

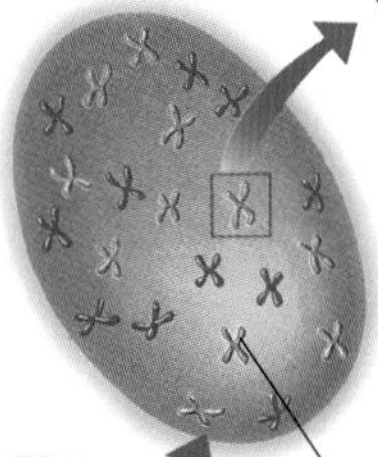

Les parents fournissent chacun une moitié des chromosomes

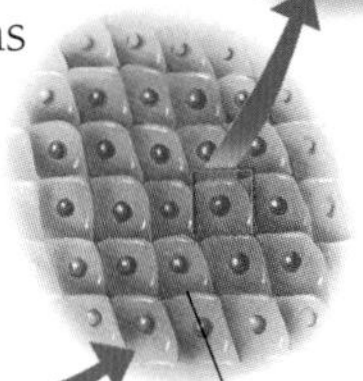

Un noyau porte toute l'information nécessaire à la duplication d'une cellule

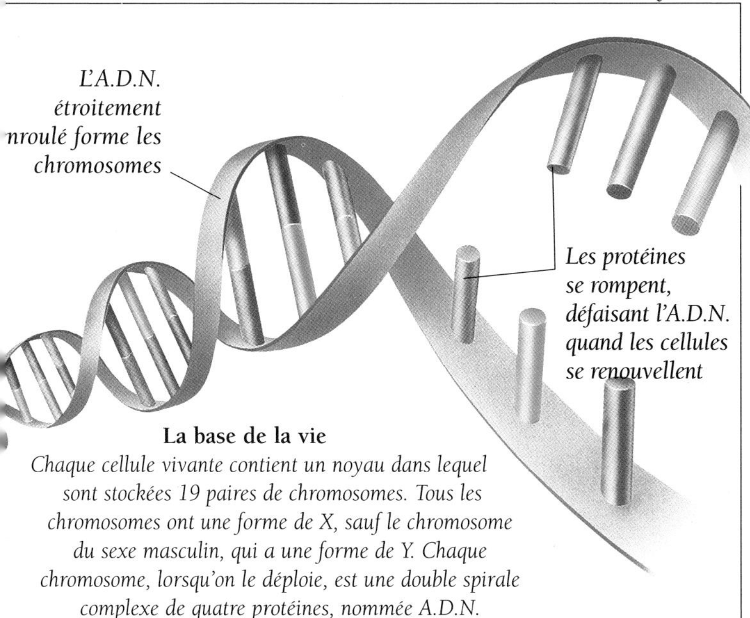

La base de la vie

Chaque cellule vivante contient un noyau dans lequel sont stockées 19 paires de chromosomes. Tous les chromosomes ont une forme de X, sauf le chromosome du sexe masculin, qui a une forme de Y. Chaque chromosome, lorsqu'on le déploie, est une double spirale complexe de quatre protéines, nommée A.D.N.

Copie et mutations

Chaque fois qu'une cellule – de peau par exemple – est remplacée, ses chromosomes sont copiés. Le processus de copie est si précis que la proportion d'erreur ou de mutation sur un gène n'est que d'une fois sur un million. L'information se transmet aux générations suivantes d'une façon différente : les ovules et les spermatozoïdes ne contiennent que 19 chromosomes, chacun représentant la moitié d'une paire. Lors de la conception, les chromosomes de l'ovule s'unissent à ceux du spermatozoïde, créant un nouvel ensemble génétique de 19 paires. Le chaton doit la moitié de son patrimoine génétique à son père et l'autre à sa mère. Lorsque les chromosomes s'associent, les gènes relatifs à chaque caractéristique s'associent par paire. Des mutations peuvent survenir au niveau de l'ovule ou du spermatozoïde, créant de nouveaux traits.

Les allèles

L'information spécifique relative à une caractéristique est toujours située au même endroit (locus) sur les deux chromosomes d'une paire. Sur une paire, les deux gènes d'un locus donné sont baptisés allèles. Les deux allèles peuvent être semblables ou différents. S'ils sont semblables, l'individu est homozygote pour le locus en question ; s'ils sont différents il est hétérozygote.

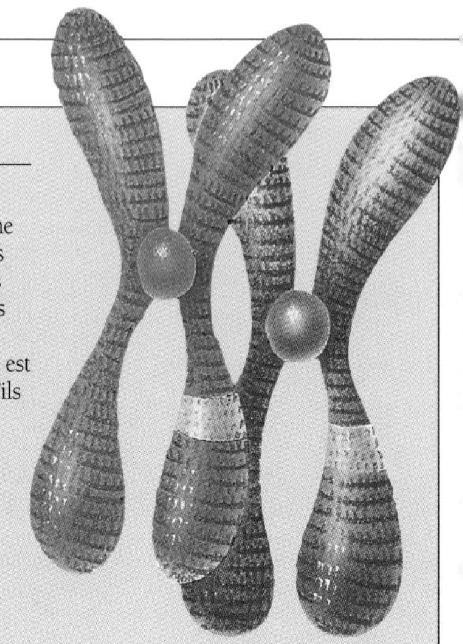

Paire de chromosomes
Un trait génétique est déterminé par les gènes des deux parents, situés au même emplacement sur chaque chromosome d'une paire.

Traits dominants et traits récessifs

Une variation génétique d'une caractéristique particulière, telle que la longueur du poil, est appelée dominante si un seul gène est nécessaire pour produire l'effet voulu, et récessive si deux gènes identiques, un sur chaque chromosome d'une paire, sont nécessaires. Les traits originaux tendent à être dominants, et les mutations nouvelles, récessives : les chats ont, naturellement, un poil court, gène désigné par L, mais une mutation a produit un gène récessif déterminant le poil long, noté l. Un chat témoignant d'un trait dominant peut être hétérozygote, porteur du trait récessif « masqué » derrière le caractère dominant : un chat présentant un trait récessif est forcément homozygote, c'est-à-dire que les allèles en jeu sont identiques. Deux chats à poil court hétérozygotes – tous deux Ll, porteurs du gène récessif déterminant le poil long – produisent une moyenne de deux chatons Ll, un chaton LL et un chaton ll, seul à présenter un poil long.

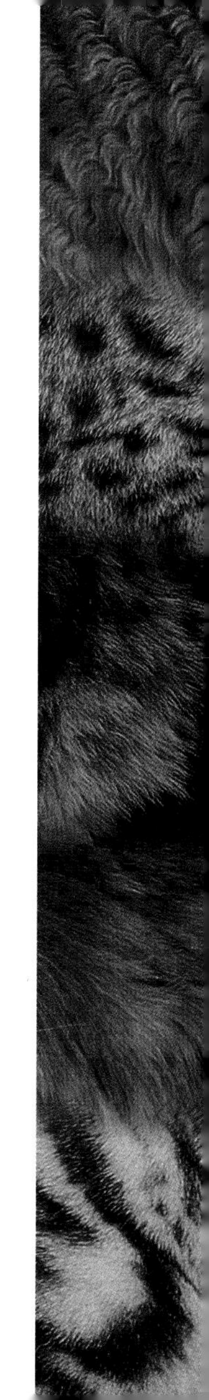

Les lois de Mendel

Certains traits majeurs dans l'aspect du chat ont été identifiés. Les gènes dominants sont notés en lettres majuscules, les gènes récessifs en minuscule. Un chat à poil court est donc noté L, à moins que des tests prouvent qu'il est LL, car le gène L peut n'apparaître qu'une fois pour produire un effet : la nature du second gène reste inconnue.

A	agouti ou tabby
a	non agouti ou unicolore
B	noir
b	marron foncé ou chocolat
b^l	marron clair ou cannelle
C	coloration non restreinte
c^b	marques burmeses
c^s	marques siamoises
D	coloration dense
d	coloration diluée, légère
I	inhibition (tipping du silver)
i	aucune inhibition
L	poil court
l	poil long
O	orange (ou roux, ou « red »)
o	couleur non rousse
S	« white spotting » (panachure blanche, ou bicolore)
s	absence de blanc irrégulier
T	tabby tigré (« mackerel tabby »)
T^a	marques de l'abyssin, ou tabby tiqueté
t^b	tabby moucheté (rayures longitudinales)
W	blanc dominant
w	couleurs exprimées (non blanc)

Transmission des gènes

Ce diagramme montre comment les gènes déterminant le poil long et le poil court sont transmis, selon des résultats moyens.

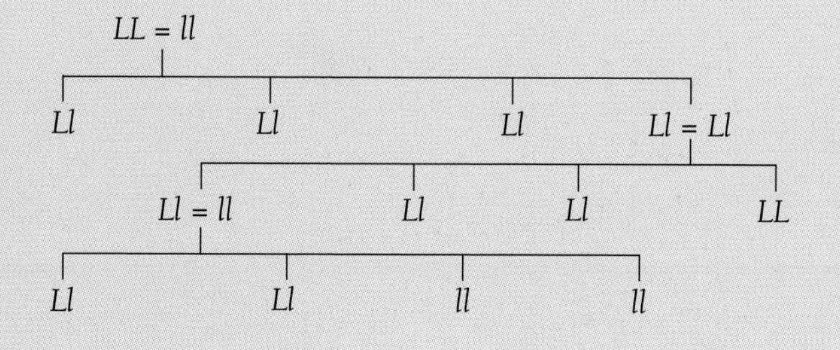

Génétique fondatrice

Pendant des centaines de milliers d'années, les ancêtres africains des chats domestiques actuels arborèrent presque tous un pelage court et rayé. Cependant, après quelques millénaires, des centaines de couleurs, de marques et de longueurs de robe ont émergé. Chez la vaste population de chats d'Afrique du Nord, les mutations génétiques accidentelles avaient peu de chance de se répandre largement, sauf si elles offraient un avantage substantiel pour l'animal ; la plupart d'entre elles disparurent, tout simplement, au bout de quelques générations. Dans une population féline isolée, les mutations ont plus de chance de se perpétuer. Les chats orange et blanc de Scandinavie ou les polydactyles de Boston et d'Halifax résultent de mutations naturelles ; emmenés dans des régions où vivent peu de chats, voire pas du tout, ils représentent, tout à coup, une partie importante d'un patrimoine génétique réduit.
Les fondateurs d'une nouvelle population ont une influence génétique à long terme : c'est la raison pour laquelle certaines couleurs ou marques de robe sont prédominantes dans certains pays. Qu'est-ce qui permet de définir une race ? D'un point de vue purement génétique, ce concept n'existe pas, car les différences génétiques potentielles existant entre les individus d'une même race sont supérieures à la moyenne des différences génétiques entre deux races distinctes. Par exemple, les profils de l'A.D.N. de deux siamois peuvent se révéler beaucoup plus éloignés que ceux d'un siamois et d'un persan. On définit une race selon quelques caractéristiques apparentes, telles que la couleur et la longueur de robe, ou encore la morphologie.

Races et maladies génétiques

Les éleveurs utilisent les lois de la génétique pour sélectionner certains traits spécifiques tels qu'une couleur de robe ou une morphologie particulière. Malheureusement, ils peuvent aussi, sans s'en douter, fixer d'autres gènes cachés, dangereux pour l'animal. Dans la nature, où la sélection s'opère en faveur de la survie du plus apte, les gènes dangereux sont éliminés ou ne subsistent qu'à un niveau très faible ; en revanche, la sélection artificielle leur permet de survivre et d'être transmis. Aux États-Unis, l'Institut national du cancer a établi un projet de recherche sur la génétique féline ; en Grande-Bretagne, un chercheur a élaboré un système d'analyse d'A.D.N. permettant d'identifier un individu, et donc d'effectuer une recherche de paternité. Toutefois, les chats à pedigree présentant fréquemment des A.D.N. similaires, en particulier chez les races les plus rares, le profil génétique sert simplement à exclure un géniteur, non à l'identifier. Dans les faits, la grande majorité des accouplements félins se produisent au hasard ; la sélection naturelle joue une influence prépondérante sur l'avenir génétique du chat domestique.

Chat polydactyle
Au moins deux gènes sont associés pour produire la polydactylie, ou existence de doigts supplémentaires. Les chats polydactyles furent parmi les premiers chats introduits à Boston et à Halifax ; ce trait est beaucoup plus fréquemment présent à ces deux endroits que dans toute autre région du monde.

COULEURS DE ROBE

Le pelage original du chat, de couleur « agouti » (gris jaunâtre – chaque poil présentant des bandes noires et jaunes) était destiné à permettre à l'animal de se fondre dans son environnement naturel. La première mutation vers une couleur unie s'est probablement faite en faveur du noir – elle se produit fréquemment chez d'autres félins, tels le léopard ou la panthère. D'autres mutations sont survenues en faveur du roux, du blanc et de la dilution des teintes uniformes.

Originalité naturelle

Les couleurs unies diluées sont souvent inhérentes à la race ; elles sont devenues l'un des critères de définition de races qui ont évolué naturellement, tel le bleu russe.

PIGMENTATION

Tous les poils colorés contiennent des quantités variables des deux composants de la mélanine, l'eumélanine et la phæomélanine. L'eumélanine produit le noir et le marron, tandis que la phæomélanine produit le roux et le jaune. Toutes les couleurs sont basées sur la présence ou sur l'absence des granules de ces pigments sur chaque poil. Le pigment est fabriqué dans des cellules cutanées appelées mélanocytes. Les chats d'une seule couleur « non agouti » sont désignés sous le terme d'unicolores. Les robes unicolores sont récessives : le chat doit être porteur de deux gènes non agouti (*p. 362-363*) afin que restent masquées ses marques tabby originales (*p. 374-377*).

Masques successifs

Le noir est la couleur dominante due à l'eumélanine. Elle est masquée par le blanc ou le roux, mais masque elle-même le potentiel génétique déterminant d'autres couleurs de robe.

Densité de la couleur

Certains chats ont des robes unicolores intenses et vibrantes. C'est le cas des spécimens noirs, chocolat, cannelle, et roux « lié au sexe ». Les animaux arborant ces couleurs possèdent au moins un gène de coloration dense (D), qui est dominant et assure que chaque poil est rempli de nombreux granules pigmentaires fournissant la teinte la plus riche. D'autres individus ont des robes plus claires, ou « diluées » bleu, lilas, fauve et crème « lié au sexe ». Ils possèdent deux gènes d, de coloration diluée, gènes récessifs qui déterminent un nombre plus faible de granules pigmentaires sur chaque poil. Selon certains éleveurs, il existe un gène modificateur, baptisé Dm, dominant par rapport au gène d, situé sur un locus différent du chromosome, et donc capable d'agir en même temps que d. Si un chat porte à la fois les gènes dd et le gène Dm, il aura une couleur « modifiée » : le bleu.

Couleurs de robe

DENSE	DILUÉ	MODIFICATEUR DE DILUTION
noir *B– D–*	bleu *B–dd*	caramel *B–* $d^m d^m$
chocolat *bb D–*	lilas ou lavande *bb dd*	caramel *bb* $d^m d^m$
cannelle $b^l b^l$ *D–*	fauve $b^l b^l$ *dd*	marron non défini $b^l b^l$ $d^m d^m$
rouge (roux) *D–O/O(O)*	crème *dd O–/O(O)*	abricot $d^m d^m$ *O–/O(O)*
écaille chocolat *bb D– Oo*	écaille lilas ou lilas crème *bb dd Oo*	écaille caramel *bb* $d^m d^m$ *Oo*
écaille cannelle $b^l b^l$ *D– Oo*	écaille fauve $b^l b^l$ *dd Oo*	écaille non défini $b^l b^l$ $d^m d^m$ *Oo*
écaille-de-tortue *B– D– Oo*	écaille bleu ou bleu crème *B–dd Oo*	écaille caramel *B–* $d^m d^m$ *Oo*

Burmese roux

Le roux lié au sexe existait en Asie de l'Est, mais les premiers burmeses d'Occident étaient bruns. Le roux, récréé par la suite, n'est pas admis partout.

LE ROUGE (ROUX) « LIÉ AU SEXE »

La couleur rousse (orange, rouge) est due à une mutation d'un gène du chromosome sexuel X, qui transforme le noir en jaune. Sous sa forme dominante (O), ce gène donne la couleur rousse ; sous sa forme récessive (o), il laisse apparaître toute autre couleur dont le chat est porteur. Un mâle (combinaison chromosomique XY) ne peut donc avoir qu'un seul gène mutant O–, produisant la couleur rousse, ou o laissant apparaître une autre couleur. La chatte, qui a pour chromosomes sexuels la combinaison XX, peut avoir deux gènes mutants – elle est rousse si elle porte deux O, d'une autre couleur si elle porte deux o. Cette combinaison, qui donne un pelage écaille-de-tortue, s'associe à l'action de tous les autres gènes déterminant une couleur.

Couleurs occidentales et orientales

Les couleurs traditionnelles des chats occidentaux sont le noir et sa version diluée, le bleu, ainsi que le roux et sa version diluée, le crème, auxquels s'ajoutent les pelages bicolores et blanc intégral. En témoignent le british shorthair, l'american shorthair, l'européen à poil court *(p. 164, 190 et 212)*, le maine coon *(p. 46)* et le chat des forêts norvégien *(p. 58)* qui, à l'origine, arboraient ces robes uniquement. Aujourd'hui, certains éleveurs travaillent sur des teintes plus rares, telles que celles de l'angora turc *(p. 86)*, qui n'existe qu'en version bicolore, roux et crème – l'élevage de ce chat fait

Les marques du van
Naturelles chez les chats des pays méditerranéens, ces marques sont maintenant répandues chez d'autres chats à pedigree faisant l'objet d'un élevage très rigoureux.

aujourd'hui intervenir d'autres nuances, dont certaines sont acceptées par la F.I.Fé.
Les couleurs orientales traditionnelles sont le chocolat et sa version diluée, le lilas, ainsi que le cannelle et sa version diluée, le fauve. Des couleurs de robe ont été « transposées » d'un groupe de races à un autre. En Grande-Bretagne, les british shorthairs aux couleurs orientales sont acceptés ; de même, des burmeses *(p. 262)* sont aujourd'hui élaborés sous forme de roux et crème occidentaux.

Blancs et bicolores

Le blanc, dominant sur tous les autres gènes déterminant la couleur, s'illustre soit par un blanc total (W), soit par les taches blanches (S) des robes bicolores. Les poils blancs ne contiennent aucun pigment. Le chat blanc, génétiquement coloré, transmet ce potentiel de couleur à sa descendance. Il est porteur du gène dominant W, qui masque l'expression de tous les autres gènes de couleur. Souvent, la couleur sous-jacente de l'animal apparaît sous forme d'une coiffe sur les chatons nouveau-nés ; lorsque le chaton grandit, la coiffe colorée laisse place à un blanc pur. Parfois associée aux gènes W et S, la surdité est plus fréquente chez les chats blancs aux yeux bleus que chez les spécimens dotés d'yeux jaunes ou orange.
Les chats bicolores ont une robe blanche, avec des taches de couleur selon deux types – les écaille et blanc sont répertoriés soit comme bicolores, soit comme tricolores selon les cas. Le bicolore standard est blanc sur un tiers ou sur la moitié du corps, ce blanc étant concentré sur les pattes et le ventre. Les marques van, associées au début aux turcs van, mais visibles aujourd'hui sur d'autres chats, présentent un blanc prédominant avec des taches unies ou écaille-de-tortue cantonnées sur la tête et la queue. Selon certains, ces chats seraient porteurs de deux gènes S, qui expliqueraient la prépondérance du blanc.

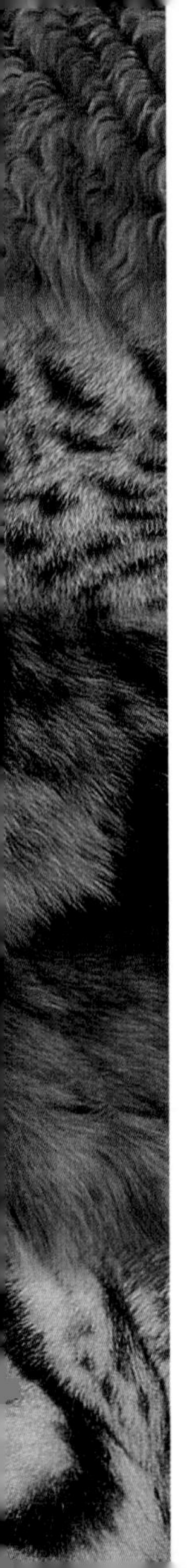

Standards des couleurs

Bien qu'il n'existe qu'un nombre réduit de gènes déterminant des couleurs uniformes, les associations félines compliquent les choses en donnant aux mêmes couleurs génétiques des noms différents, selon la race. Cette tendance, particulièrement notable pour les robes présentant des marques, se manifeste également pour les pelages unicolores. Le lilas devient « lavande » chez certaines associations d'Amérique du Nord, l'oriental à poil court noir *(p. 292)* se transforme en « ébène », l'oriental à poil court chocolat est baptisé « havana » en Grande-Bretagne et « chestnut » en Amérique du Nord, tandis que le havana *(p. 228)*, de couleur cannelle, est lui aussi appelé « chestnut ». Les chats roux sont souvent qualifiés de roux unicolores, car la distinction entre

Couleur évolutive
Nombre de chatons unicolores arborent des traces de marques tabby baptisées « marques fantômes », en particulier les spécimens roux, tels que ce jeune angora.

Couleur en mosaïque

Le gène S semble avoir un effet prévisible sur la mosaïque écaille-de-tortue. Les écaille-de-tortue purs ont des couleurs subtilement mélangées, mais les écaille et blanc présentent presque toujours de grosses taches noires et rousses bien distinctes.

les unicolores et les tabbys est très floue. Chez le turc van, le roux et blanc est désigné auburn et blanc. Les chats écaille et blanc sont nommés « calico » par la C.F.A., en raison d'une ressemblance avec un tissu imprimé. Selon les standards des races, la couleur de la truffe, des lèvres et des coussinets doit être en harmonie avec la couleur de la robe : rose chez les chats blancs, bleue chez les chats bleus, de rose à rouge brique chez les roux.

MARQUES DE ROBE

Derrière l'immense variété de couleurs et de marques de robe, chaque chat reste un tabby. Tout comme le félin le plus chouchouté garde les capacités de chasseur de ses ancêtres prédateurs, les marques tabby, qui remontent aux origines de l'animal, peuvent réapparaître à tout moment.

Grâce à l'élevage sélectif naissent des chats aux robes tigrées ou tachetées, ornées d'un « tipping » (dont la pointe des poils est plus foncée que la base) ou colourpoint (aux extrémités plus foncées que le corps – pelage de type siamois). Ces variétés sont possibles grâce à des mutations de gènes déterminant les marques de la robe, mutations qui auraient, dans la vie sauvage, réduit la possibilité de camouflage du chat, mais qui ne sont plus dangereuses dans un environnement humain.

Chats déguisés

Tous les chats unicolores sont des tabbys déguisés. Lorsqu'un chat unicolore est accouplé à un tabby, quelques-uns des chatons engendrés sont tabby.

Deux tabbys
Le gène tabby tigré (mackerel, à gauche) est dominant sur le tabby classique (à droite), mais ce dernier prime en Europe, en Amérique du Nord et en Australie.

L'HÉRITAGE TABBY

L'ancêtre des chats domestique, le chat sauvage d'Afrique, était un tabby rayé, dont le pelage permettait à l'animal de se fondre dans son environnement et d'y chasser. Le caractère tabby, génétiquement dominant, est transmis à tous les chats domestiques ; les poils entre les rayures ou mouchetures contiennent des bandes de couleur presque toujours claires à la base et foncées à la pointe. Ces marques existent chez d'autres animaux, tels que les écureuils, les souris et les agoutis, petits rongeurs qui ont donné leur nom à ce type de pelage. Les bandes de couleurs donnent à la robe un aspect « poivre et sel », qui se combine avec les rayures pour aider le félin à se camoufler.

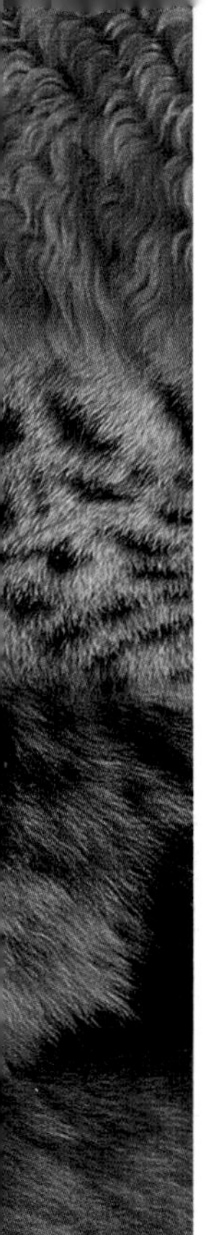

MARQUES DOMINANTES

Tous les chats sont porteurs d'un gène tabby, même ceux qui ont une robe unicolore. Les généticiens désignent le gène agouti, qui est dominant, par A. Tout chat héritant de A par au moins l'un de ses parents aura une robe portant des marques et sera désigné par A–. Les couleurs unies existent en raison d'une alternative récessive à A, qui est a, ou gène non agouti.

Chez les chats aa, qui héritent de ce gène récessif par les deux parents, la robe semble être d'une couleur unique, régulière, mais un examen attentif révèle des marques tabby très légères. Ce phénomène, souvent apparent chez les chatons, disparaît avec l'âge. Il existe quatre types de marques tabby chez les félins : tigré ou rayé ; classique ou marbré ; tiqueté ou abyssin ; tacheté ou moucheté.

Marques superposées

Les marques tabby, superposées à la mosaïque écaille-de-tortue, créent les robes les plus élaborées.

Nouvelles taches

Les marques de races nouvelles, telles l'ocicat, ont souvent été créées pour reproduire les robes des félins sauvages.

Coloration

Les rayures du tabby tigré, fines et parallèles, perpendiculaires à la colonne vertébrale, parcourent les flancs jusqu'au ventre. Ces marques furent longtemps prédominantes en Europe, mais il y a plusieurs siècles elles furent surpassées par les marques tabby classique. Ces dernières présentent des rayures larges qui forment sur les flancs des tourbillons en « huître », centrés autour d'une tache. Les robes des tabbys tiquetés possèdent des marques plus subtiles : les zones claires sont réduites à la tête, aux pattes, à la queue et au dos. Les pelages tiquetés semblent s'être répandus en Extrême-Orient, vers l'Asie plutôt que vers l'Europe ; on les trouve surtout au Sri Lanka, en Malaisie et à Singapour.

Les tabbys tachetés ont des marques formées par la rupture des rayures ; sur les robes européennes et américaines, ces taches suivent les lignes des tabbys tigrés, mais il existe aussi d'autres tracés. Les taches de l'ocicat *(p. 338)* forment des dessins réguliers, tandis que celles du mau égyptien *(p. 332)* semblent distribuées au hasard.

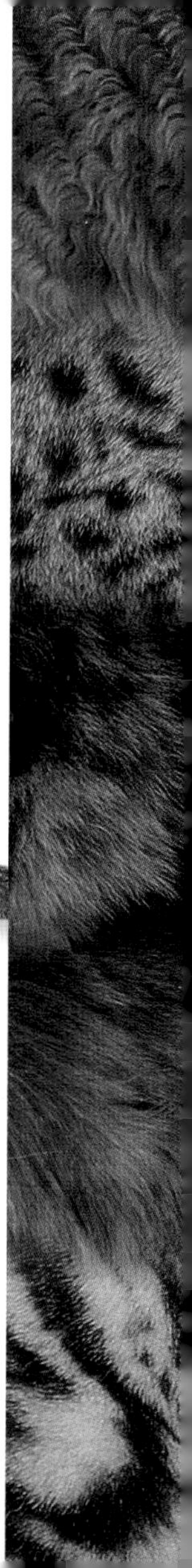

Pointed patterns
Les gènes responsables du « pointing » se manifestent sur les robes de n'importe quelle couleur ou marque.

Marques colourpoint

Le gène I n'est pas le seul gène à restreindre la couleur. La couleur restreinte aux extrémités du corps est désignée sous le nom de « pointing ». Les chats colourpoint ont le corps clair et les extrémités foncées – oreilles, bout des pattes, queue et museau. Chez les chats mâles, les poils du scrotum sont également foncés. Une enzyme sensible à la chaleur, contenue par les cellules de pigmentation de la peau, contrôle les marques. La température normale du corps de l'animal inhibe la production de pigment, mais sur les extrémités, où la température est plus basse, l'enzyme est activée et les poils sont pigmentés.

Le « pointing » peut se produire sur des robes de n'importe quelle couleur ou marque. Dans la mesure où le poil réagit à la chaleur, les chatons naissent blancs. Les chats des pays froids ont des robes plus foncées que ceux des pays chauds, et sur le corps toutes les robes foncent avec l'âge.

Marques de robe

UNICOLORE
(*aa*, non agouti)

TABBY
(*A*–, agouti)

Tous les chats sont porteurs de gènes tabby, soit tigré (T–), tiqueté (T^a–), moucheté ($t^b t^b$), ou d'autres, encore non définis. Les allèles aa masquent les marques tabby : la mélanine pigmente le poil entier et le chat semble unicolore ou écaille-de-tortue. Les allèles A– font apparaître les marques tabby. Que le chat soit aa ou A–, cela n'a aucun effet sur le roux lié au sexe. La différence entre les unicolores et les tabbys est simplement due à l'effet conjugué des gènes qui déterminent des marques légères ou nettes.

FUMÉ (SMOKE)
(*aa I*–, shaded non agouti)

SILVER TABBY, SHADED, AVEC TIPPING
(*A*– *I*–, agouti shaded)

Le gène inhibiteur I bloque la production de couleur. Chez les chats non agoutis, seules les racines sont blanches, tandis que chez les agoutis, une grande partie du poil est affectée. La différence entre les unicolores shaded et les silver tabby est une question d'interférence entre les gènes, déterminant la netteté du marquage. Ces effets distinguent aussi les robes shaded des robes avec « tipping ». En ce qui concerne le roux lié au sexe, les différences entre le fumé, le shaded, le silver tabby et le pelage avec « tipping » sont toutes liées aux effets conjugués des gènes.

SIAMOIS
($c^s c^s$, « point »)

BURMESE
($c^b c^b$, sépia)

TONKINOIS
($c^b c^s$, vison)

D'un point de vue technique, tous ces chats sont des colourpoint, car ils ont des couleurs sensibles à la chaleur : chez le siamois et le burmese, la couleur la plus foncée est concentrée sur les extrémités, ou « points », et cette couleur est également diluée ou éclaircie le noir devient seal chez le siamois et zibeline chez le burmese. Le tonkinois ne possède pas de gène de couleur propre, c'est un hybride aux « points » de couleur douce résultant de l'action conjuguée des gènes du « pointing » et du sépia – ce chat présente toujours des variantes de ces marques, en particulier les marques vison, qui lui sont propres.

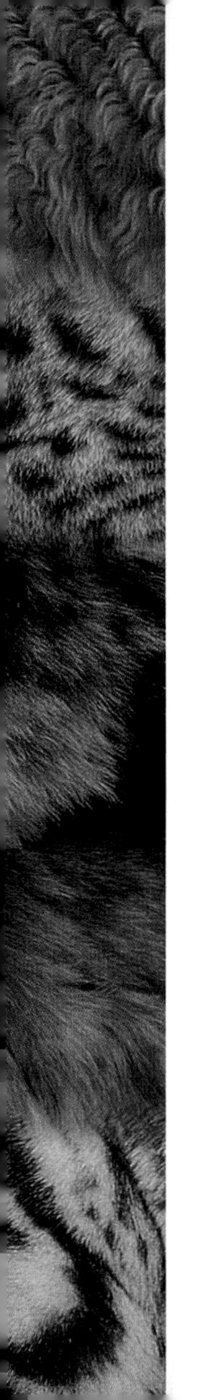

MORPHOLOGIE

La plupart des races de chats ne sont pas définies par la couleur ou les marques de la robe, car nombre d'entre elles ont ces attributs en commun. Elles sont beaucoup plus souvent différenciées par les formes typiques du corps ou de la tête de l'animal, voire par des caractéristiques physiques particulières, telles une absence de queue ou des oreilles pliées. Des tempérament divers correspondent souvent à ces variations morphologiques : les chats au corps allongé et mince sont en général plus vifs et démonstratifs que ceux au corps plus trapu et musclé. On constate que ces aspects variables correspondent également à des différences géographiques : plus on se dirige vers l'Est, plus les chats sont élancés et fins.

Tête persane « ancienne »
Le chinchilla est le persan dont le museau a été le moins raccourci ; en Afrique du Sud, le standard autorise un museau plus allongé.

Le persan
Au fil du temps, la tête du persan est devenue de plus en plus plate. Chaque registre détermine jusqu'à quel degré cette évolution est admise.

Différences de races

Les races qui existent aujourd'hui ont été élaborées à partir de variations naturelles chez des populations de chats se reproduisant en liberté. Dans une certaine mesure, ces différences ont été déterminées par l'environnement spécifique des animaux. La morphologie du félin est souvent une bonne indication de la région dont il est originaire.

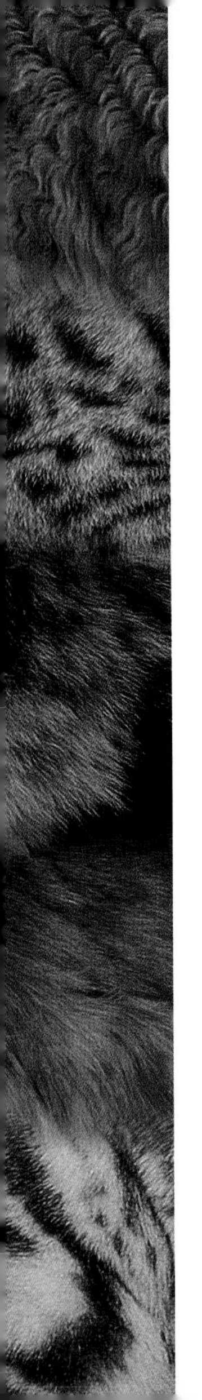

Déviation unique
Le scottish fold, comme nombre d'autres races récemment élaborées, se distingue par un trait unique et frappant. Les registres étant très stricts quant aux critères de détermination d'une race, cette tendance à l'originalité est susceptible de s'accentuer.

Chats des pays froids

Les chats domestiques les plus trapus et musclés ont évolué dans des climats froids, par le processus de la sélection naturelle. Ils ont en général une tête large et arrondie, un museau relativement court et large, un corps robuste au poitrail ample, des pattes solides aux extrémités arrondies, et une queue courte ou moyenne, plutôt épaisse. Leur morphologie leur permet de retenir au maximum la chaleur du corps.

Parmi les spécimens à poil court, citons le british shorthair *(p. 164)*, l'american shorthair *(p. 190)* et le chartreux *(p. 218)*. D'autres races dérivant de celles-ci en diffèrent parfois seulement par un détail. Le scottish fold *(p. 186)* fut élaboré à l'aide du british shorthair, dont il se distingue essentiellement par ses oreilles « anormales ». L'american shorthair fut utilisé pour la création de l'américain à poil dur *(p. 196)*, bien que l'aspect de cette race ait évolué, devenant de plus en plus « oriental » ou « foreign ». L'évolution du manx *(p. 176)* fut parallèle à celle du british shorthair – il a désormais un aspect plus lourd que ce dernier.

Les chats à poil long originaux, les persans *(p. 16)*, étaient également de structure épaisse et musclée, caractéristique physique qui leur permettait de supporter les hivers rudes des hautes montagnes de Turquie, d'Iran et du Caucase. Ils ont conservé leur corps puissant ; d'autres traits caractéristiques, tel le museau plat, ont été introduits, puis accentués au long de décennies d'élevage sélectif. D'autres chats à poil long de construction robuste ont évolué naturellement sous des climats septentrionaux. Le chat des forêts norvégien *(p. 58)*, son homologue sibérien *(p. 64)* et les maine coons *(p. 46)* se sont développés dans des climats froids à partir de chats de ferme qui vivaient en partie à l'extérieur.

Humbles origines
Les ancêtres du british shorthair chassaient la souris avec frénésie ou luttaient pour survivre près des poubelles des grandes villes. Ces chats résistants arboraient une robe chaude, adaptée aux hivers froids et humides, caractéristique qui s'est transmise jusqu'à nos jours.

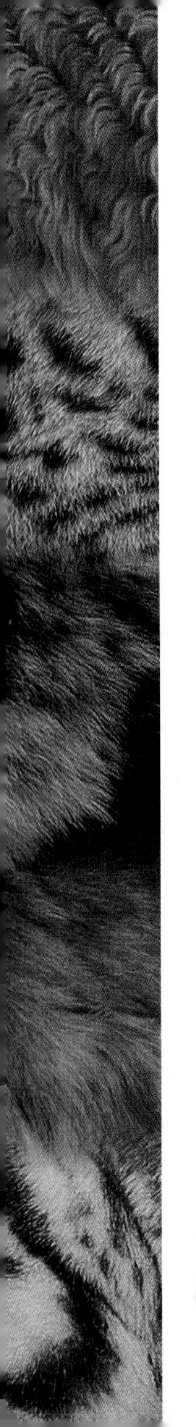

RACES ORIENTALES

Les chats les plus élancés sont ceux des races orientales. La plupart d'entre eux ont évolué dans des climats chauds, où il était important de pouvoir lutter contre une température excessive. Avec leurs oreilles larges, leur museau triangulaire, leur corps allongé aux pattes fines, prolongé d'une queue longue et mince, ils offrent une surface considérable de peau par laquelle s'opère un maximum d'échanges. Ces chats, aux yeux ovales et obliques, ont pour représentant classique le siamois *(p. 280)*. D'aucuns prétendent que ces derniers n'ont pas toujours eu leur aspect actuel, et que les notions stéréotypées des Occidentaux, relativement à la délicatesse orientale, ont vraisemblablement influé sur le développement de la race. Le bobtail japonais *(p. 150 et 304)*, spécimen

Évolution orientale
Le rex devon, créé en Grande-Bretagne, et populaire en Amérique du Nord, a un aspect oriental. Oreilles larges et ossature fine sont rares chez les chats du Devon.

Chat de climat chaud
Les chats orientaux, tels que le siamois, ont toujours été fins et légers, mais leur aspect actuel est beaucoup plus élégant que celui des chats thaïlandais se reproduisant en liberté.

rustique au Japon, doit, en Amérique du Nord, avoir un aspect « oriental » et « délicat ». L'oriental à poil court *(p. 292)* fut créé après que des chats non colourpoint de l'Asie du Sud-Est ont été éliminés par l'importation de siamois. D'autres spécimens occidentaux, tels que le rex cornish *(p. 312)* et le rex devon *(p. 318)*, ont été conçus pour ressembler aux félins orientaux. Le siamois reste le chat oriental le plus populaire. Le tonkinois *(p. 274)*, né de croisements entre le siamois et le burmese, connaît la faveur du public.

Contrastes transatlantiques
Contrairement à leurs cousins américains, les descendants européens du burmese ont un aspect particulièrement anguleux.

Races semi-« foreign »

Un autre groupe de chats se situe à mi-chemin des spécimens puissants d'Europe septentrionale et des félins plus sinueux des climats chauds d'Afrique et d'Asie. Élancés et musclés, ils sont souvent baptisés semi-« foreign » (semi-étrangers). L'angora turc *(p. 100)*, le bleu russe *(p. 224)* et l'abyssin *(p. 232)* présentent des yeux légèrement ovales et obliques, une tête modérément anguleuse, des pattes minces et musclées, aux extrémités ovales, et une longue queue effilée.

Un certain nombre de races nouvelles ont été élaborées à partir des semi-foreign naturels ; parfois seule la couleur de robe ou la longueur de poil ont changé : c'est le cas du nebelung *(p. 96)*, ainsi que des noirs russes et blancs *(p. 224)*, plus controversés. La mode semble favoriser l'aspect semi-foreign : le somali *(p. 106)* est un chat très fréquemment utilisé pour les publicités en Amérique du Nord, où on le considère comme élégant et original – mais d'une originalité acceptable.

Évolution de la taille

La possibilité d'élever des chats plus gros ou plus petits intrigue nombre d'éleveurs. Lorsqu'une portée de taille nouvelle a été produite, la portée suivante revient, en général, à la taille habituelle. La variation de taille des chats semble génétiquement limitée. Seuls les croisements avec d'autres races, sujets à controverse, pourraient changer cet état de choses. Quelques chats sont classés en fonction d'une seule caractéristique anatomique, souvent considérée par les détracteurs comme une malformation. Par exemple, l'absence de queue du manx est associée à des problèmes de santé parfois fatals. Le chat domestique commun a évolué au fil des siècles, pratiquement jusqu'à la perfection.

Modes américaines
En Amérique du Nord, les chats de type burmese ont un aspect plus arrondi, particulièrement bien illustré par la forme de la tête.

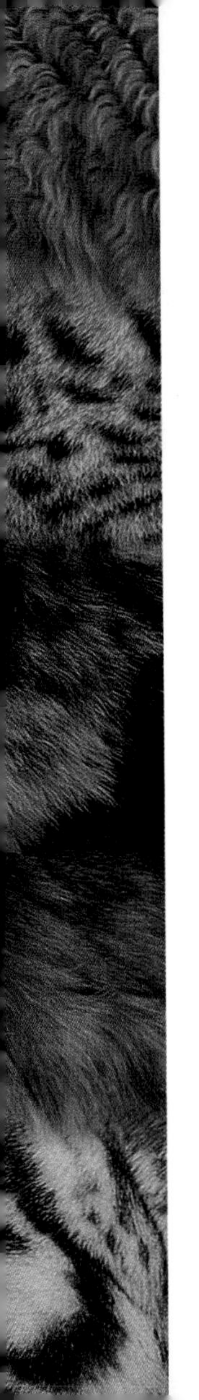

FORME ET COULEUR DES YEUX

À l'instar de tous les petits de mammifères, y compris l'homme, les chats ont des yeux relativement grands par rapport à la taille de leur tête : c'est sans aucun doute l'un des facteurs inconscients qui nous amènent à nous attendrir devant un chaton ou un chiot et nous poussent à en prendre soin.

Nombre d'éleveurs font des efforts considérables pour obtenir des couleurs d'yeux spécifiques, créant ainsi une gamme étendue de nuances. Les chatons naissent avec des yeux bleus, mais cette couleur se modifie au fur et à mesure qu'ils grandissent. Adultes, les chats peuvent avoir des yeux marron cuivré, orange, jaunes ou verts ; certains spécimens gardent les yeux bleus car cette teinte est génétiquement liée à la couleur de leur robe.

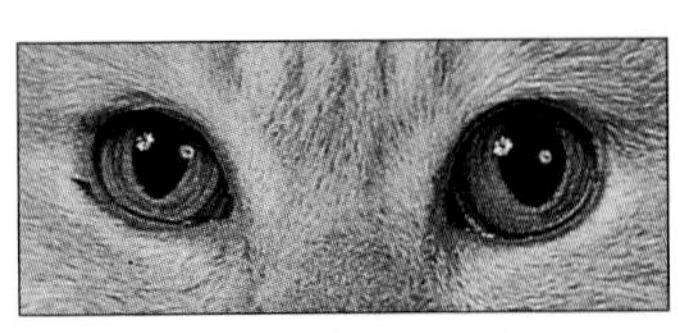

CUIVRE

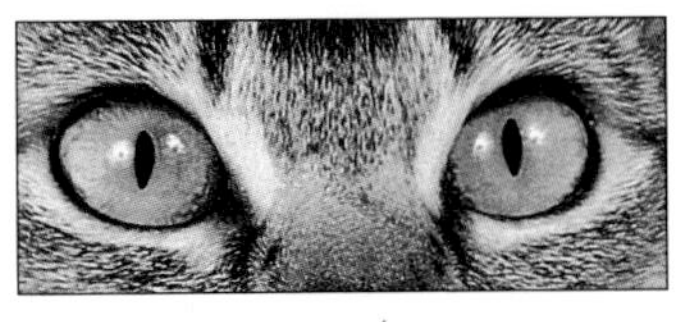

DORÉ

Yeux jaunes

Ce type d'yeux est très proches de celui des chats sauvages. Les yeux verts passent souvent par un stade marron ou jaune avant d'atteindre leur couleur définitive. Les yeux cuivrés peuvent « pâlir » au fil des ans, tandis que les yeux dorés peuvent prendre des teintes différentes selon la lumière ambiante.

FORME DES YEUX

Les yeux des félins sauvages sont ovales et légèrement obliques. C'est également le cas des races considérées comme proches du chat « naturel », tel le maine coon *(p. 46)*. La forme des yeux peut être altérée de deux façons : soit elle s'arrondit, soit elle devient de plus en plus allongée et étroite. Les races occidentales anciennes, telles que le chartreux *(p. 218)*, ont en général des yeux ronds et proéminents ; chez les chats orientaux, quelques spécimens, tel le burmese *(p. 262)*, ont également des yeux arrondis, mais la plupart d'entre eux s'ornent d'yeux en amande. Des formes trop appuyées peuvent causer des problèmes de santé.

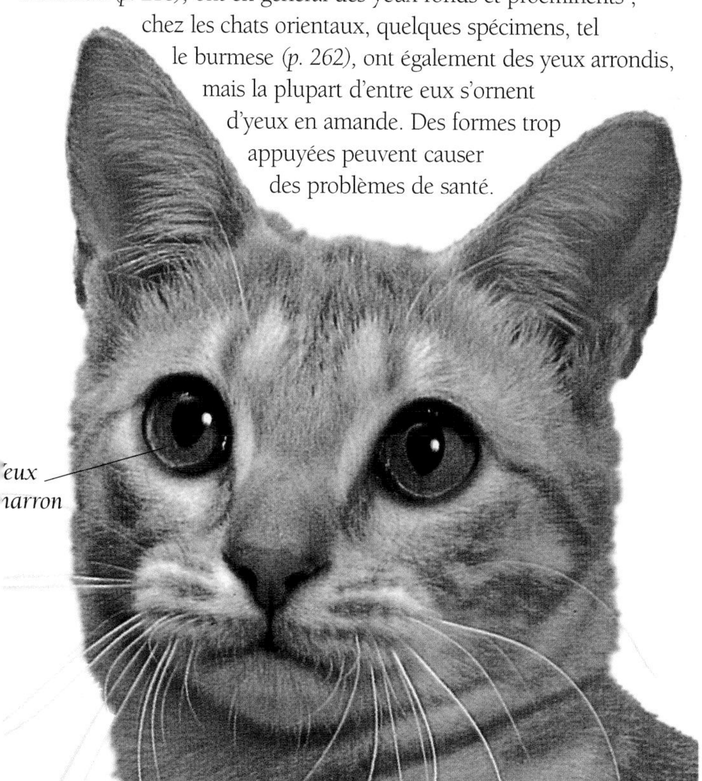

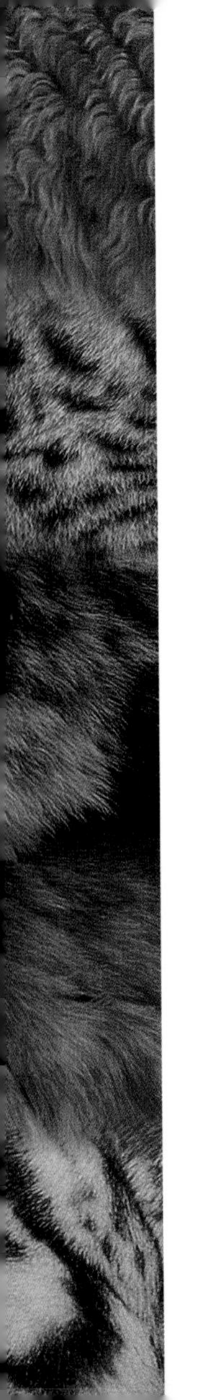

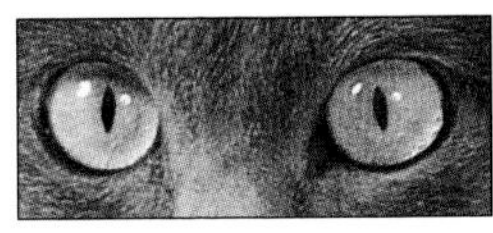

VERT PUR

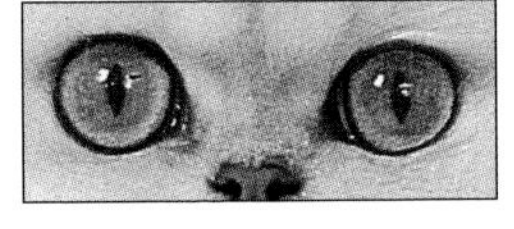

VERT

Yeux verts

Les yeux verts sont devenus courants chez les chats domestiques communs.

Couleur des yeux

Les chats sauvages ont des yeux noisette ou cuivre qui tirent parfois vers le jaune ou le vert. L'élevage sélectif a produit chez les spécimens de race un éventail de couleurs allant du bleu à l'orange. La plupart du temps, la couleur de robe ne détermine par celle des yeux, bien que quelques standards associent les deux : les silver tabby, par exemple, doivent souvent, pour être admis, présenter des yeux verts, mais ils naissent fréquemment avec des yeux cuivrés ou dorés.

La seule couleur d'yeux génétiquement liée à une couleur de robe est le bleu. Ce phénomène est dû à une forme d'albinisme qui conduit à une absence de pigmentation à la fois des poils et de l'iris ; il se produit chez les chats arborant une grande quantité de blanc. Les chats entièrement blancs aux yeux bleus sont souvent sourds, car le gène causant l'absence de pigment provoque également une perturbation du développement de l'oreille interne.

Les yeux bleus des siamois *(p. 280)* – race découverte au XIXe siècle par le naturaliste Peter Pallas, dans le Caucase – ont une origine différente. La couleur n'est pas liée à la surdité, mais peut être associée à une vision défectueuse. Les premiers siamois louchaient souvent ; l'élevage sélectif a fait disparaître cette particularité, sans provoquer de perte d'acuité visuelle. Il existe au moins un autre gène rare déterminant la couleur bleue des yeux, pouvant se réaliser avec n'importe quelle couleur de robe. Ce cas fut répertorié en Grande-Bretagne dans les années 1960, en Nouvelle-Zélande dans les années 1970 et aux États-Unis, au cours des années 1980.

Yeux bleus

L'absence de pigmentation des yeux bleus permet une absorption plus grande de la lumière, utilisée par le corps pour produire la vitamine D ; c'est la raison pour laquelle cette variété est beaucoup plus fréquente dans les régions où le soleil est rare. La mutation déterminant les yeux bleus du siamois pourrait s'être produite en Asie septentrionale.

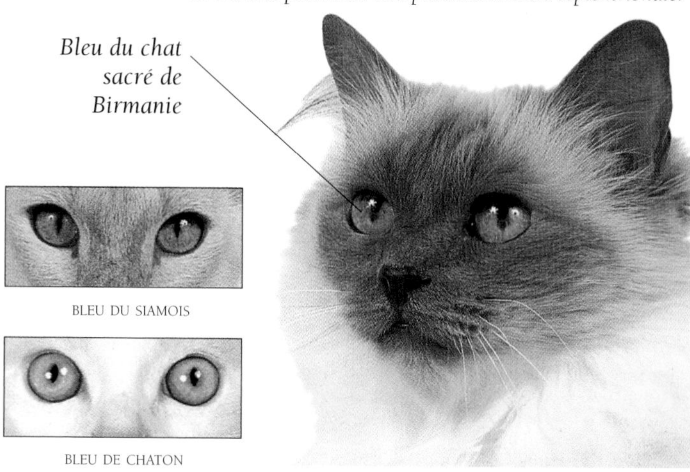

BLEU DU SIAMOIS

BLEU DE CHATON

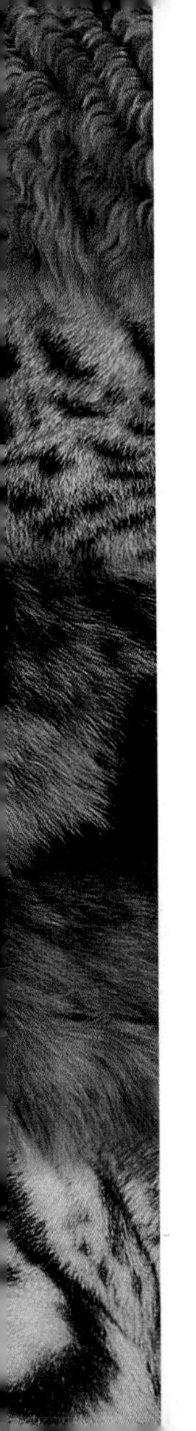

INDEX

Les nombres en gras indiquent les pages consacrées à l'animal

C

D

E

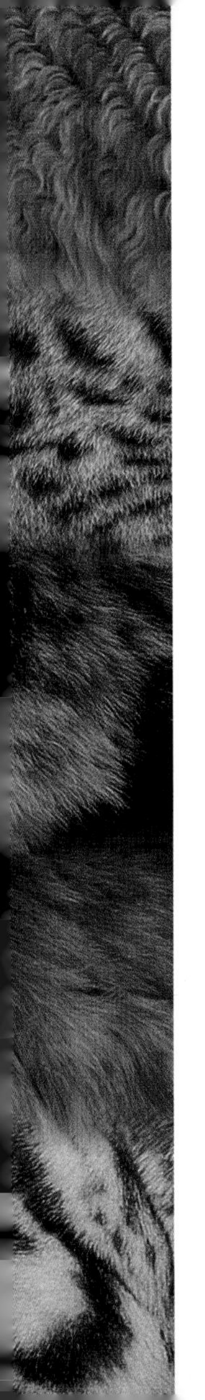

F

G

H

I

J

K

l

M

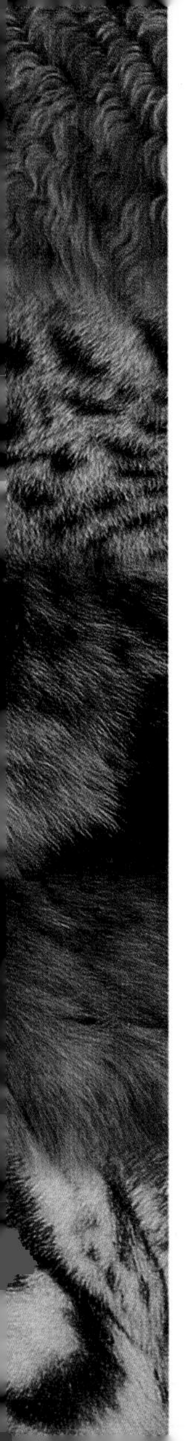

REMERCIEMENTS

Nous remercions les nombreux propriétaires de chats qui nous ont accordé un peu de leur temps pour que nous puissions photographier leur animal de compagnie. Sans leur contribution, ce livre n'aurait pu voir le jour. Le nom des chats photographiés est indiqués ici page par page : les numéros de pages figurent en gras et l'emplacement sur les pages (quand c'est nécessaire) est indiqué de la façon suivante : haut (h), bas (b), gauche (g), centre (c). Chaque nom de chat est suivi de celui de son éleveur et, entre parenthèses, de celui de son maître.
Les récompenses que le chat a éventuellement reçues sont également indiquées : Champion (Ch), Grand Champion (GrCh), Premier (Pr), Grand Premier (GrPr), Supreme Grand Champion (SupGrCh), Supreme Grand Premier (SupGrPr), Champion Européen (ChEur) ou Champion International (ChInt).
La plupart des jeunes chats qui ont été photographiés ont probablement gagné depuis d'autres récompenses, mais seules celles qu'ils avaient reçues au moment où ils ont été photographiés sont indiquées ici.
Les photographies Dorling Kindersley ont été prises par Tracy Morgan et Marc Henrie, nous regrettons de ne pouvoir donner les mêmes informations pour les photographies fournies par Chanan et Tetsu Yamasaki, qui n'étaient pas mandatés par Dorling Kindersley.

Photo de couverture © Corbis

16, 17, 18 Yamazaki ; **19** *Mowbray Tanamera* D Cleford (D Cleford) ; **21** Chanan ; **22** *Cashel Golden Yuppie* A Curley (A Curley) ; **23** GrPr *Bellrai Faberge* B & B Raine (B & B Raine) ; **24** *Honeymist Roxana* M Howes (M Howes) ; **25** *Bellrai Creme Chanel* B & B Raine (B & B Raine) ; **26** *Adirtsa Choc Ice* D Tynan (C & K Smith) ; **27** *Adhuilo Meadowlands Alias* P Hurrell (S Josling) ; **28** *Amocasa Beau Brummel* I Elliott (I Elliott) ; **30** *Impeza Chokolotti* C Rowark (E Baldwin) ; **31** *Anneby Sunset* A Bailey (A Bailey) ; **32-33** *Watlove Mollie Mophead* H Watson (H Watson) ; **34** cg *Lizzara Rumbypumby Redted* G Black (G Black) ; bg *Chanterelle Velvet Cushion* L Lavis (G Black) ; **35** Ch et GrPr *Panjandrum April Surprice* A Madden (A Madden) ; **36** *Schwenthe Kiska* FE Brigliadori (FE Brigliadori & K Robson) ; **37** *Panjandrum Swansong* A Madden (S Tallboys) ; **38** *Saybrianna Tomorrow's Cream* A Carritt (A Carritt) ; **39** *Aesthetical Toty Temptress* G Sharpe (H Hewitt) ; **40** *Chehem Agassi* (Christine Powell) ; **41** *Chehem BryteSkye* (Christine Powell) ; **42-43** *Pandapaws Mr Biggs* S Ward-Smith (J Varley & J Dicks) ; **44-45** *Rags n Riches Vito Maracana* Robin Pickering

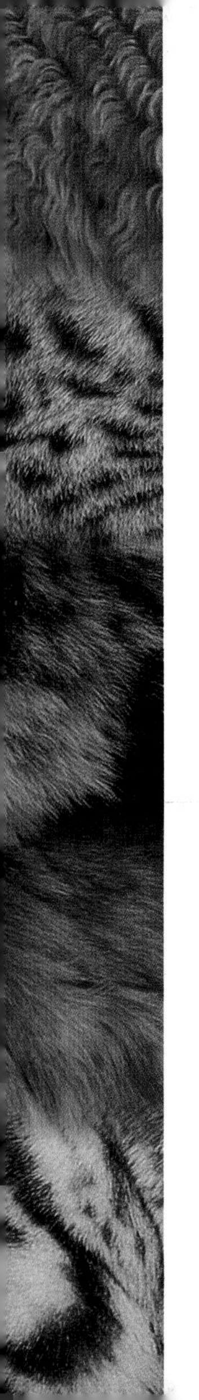

(Mrs J Moore) ; **46, 47, 48, 50, 51, 52** Chanan ; **53** Ch *Keoka Ford Prefect* ; **54** GrCh *Adinnlo Meddybemps* ; **55** *Keoka Max Quordlepleen* D Brinicombe (D Brinicombe) ; **56** *Keoka Aldebaran* D Brinicombe (D Brinicombe) ; **57** Ch *Keka Ursine Edward* D Brinicombe (D Brinicombe) ; **59** *Lizzara Bardolph* (Ginny Black) ; **60** *Skogens SF Eddan Romeo* AS Watt (S Garrett) ; **61** *Tarakatt Tia* (DSmith) ; **62** *Sigurd Oski* (D Smith) ; **63** *Skogens Magni* AS Watt (S Garrett) ; **64, 65, 66** all Yamazaki ; **68** *Olocha* A Danveef (H von Groneberg) ; **69, 71** Yamazaki ; **73** Chanan ; **74, 75, 76-77** Yamazaki ; **78** Chanan ; **79** Yamazaki ; **82, 83** Yamazaki ; **85** Chanan ; **86** *Bruvankedi Kabugu* B Cooper (B Cooper) ; **87** *Cheratons Simply Red* Mr & Mrs Hassell (Mr & Mrs Hassell) ; **88** Ch *Lady Lubna Leanne Chatkantarra* T Boumeister (J Van der Werff) ; **89** *Champion Cheratons Red Aurora* Mr & Mrs Hassell (Mr & Mrs Hassell) ; **90-91** *Bruvankedi Mavi Bayas* (Mr R Cooper) ; **92, 94-95** Chanan ; **97, 98-99** Yamazaki ; **100** *Shanna's Yacinta Sajida* M Harms (M Harms) ; **101** Chanan ; **102** *Shanna's Tombis Hanta Yo* M Harms-Moeskops (G Rebel van Kemenade) ; **103, 104-105** Chanan ; **106** *Bealltaine Bezique* T Stracstone (T Stracstone) ; **107** unnamed kitten ; **108-109** *Dolente Angelica* L Brisley (L Brisley) ; **110-111** *Beaumaris Cherubina*, A & B Gregory (A & B Gregory) ; **113, 115** G & T Oraas ; **117** *Favagella Brown Whispa* J Bryson (J Bryson) ; **118** *Kennbury Dulcienea* C Lovell (K Harmon) ; **120-121** *Palvjia Pennyfromheaven* J Burroughs (T Tidey) ; **122** GrPr *Nighteyes Cinderfella* J Pell (J Pell) ; **122-123** *Blancsanglier Rosensoleil* A Bird (A Bird) ; **123** Ch *Apricat Silvercascade* R Smyth (E & J Robinson) ; **124** Pr *Blancsanglier Beau Brummel* A Bird (A Bird) ; **125** Pr *Pandai Feargal* E Corps (BV Rickwood) ; **126-127** *Jeuphi Golden Girl* J Phillips (L Cory) ; **128** GrPr *Nighteyes Cinderfella* J Pell (J Pell) ; **129** h Ch *Apricat Silvercascade* R Smyth (E & J Robinson), b *Ronsline Whistfull Spirit* R Farthing (R Farthing) ; **130** *Dasilva Tasha* J St John (C Russel & P Scrivener) ; **131** *Mossgems Sheik Simizu* M Mosscrop (H Grenney) ; **132-133** *Chantonel Snowball Express* R Elliott (R Elliott) ; **134** *Palantir Waza Tayriphyng* J May (J May) ; **135** *Lipema Shimazaki* P Brown (G Dean) ; **136-137** *Quinkent Honey's Mi-Lei-Fo* IA van der Reckweg (IA van der Reckweg) ; **139, 141** all Chanan ; **143, 145** Yamazaki ; **146-147, 148-149** all K Leonov ; **151** Chanan ; **152-153** Yamazaki ; **154** *Maggie* (Bethlehem Cat Sanctuary) ; **155** *Dumpling* (Bethlehem Cat Sanctuary) ; **158** Chanan ; **159** Yamazaki ; **160** *Pennydown Penny Black* SW McEwen (SW McEwen) ; **161** h Yamazaki, b Chanan ; **162-163** Yamazaki ; **164** GrCh *Starfrost Dominic* E Conlin (C Greenal) ; **165** Ch *Sargenta Silver Dan* U Graves (U Graves) ; **166** GrCh *Maruja Samson* M Moorhead

(M Moorhead) ; **167** *Susian Just Judy* S Kempster (M Way) ; **168** *Miletree Black Rod* R Towse (R Towse) ; **169** Ch & SupGrPr *Welquest Snowman* A Welsh (A Welsh) ; **170** *Miletree Magpie* R Towse (M le Mounier) ; **172** Ch *Bartania Pomme Frits* B Beck (B Beck) ; **173** h *Kavida Kadberry* L Berry (L Berry), c GrCh *Westways Purrfect Amee* A West (GB Ellins) ; **174** *Cordelia Cassandra* J Codling (C Excell) ; **175** *Kavida Misty Daydream* L Berry (L Berry) ; **177** Yamazaki ; **178** *Minty* L Williams (H Walker & K Bullin) ; **179** *Adrish Alenka* L Price (L Williams) ; **180** Chanan ; **181, 182** Yamazaki ; **185** Chanan ; **186, 187, 189, 190** Yamazaki ; **192, 193, 194, 195, 197, 198-199, 201** Chanan ; **203, 204-205, 206, 207** Yamazaki ; **209, 210, 211** Chanan ; **213** *Aurora de Santanoe* L Kenter (L Kenter) ; **214** *Eldoria's Yossarian* O van Beck & A Quast (O van Beck & A Quast) ; **215** ChInt *Orions Guru Lomaers* (Mulder-Hopma) ; **216** *Eldorias Goldfinger*, **217** *Eldoria's Crazy Girl*, **219** Ch *Comte Davidof de Lasalle*, **220** *Donna Eurydice de Lasalle*, **221, 222-223** ChInt *Amaranthoe Lasalle*, all K ten Broek (K ten Broek) ; **224** *Astahazy Zeffirelli* (M von Kirchberg) ; **227** Yamazaki ; **228-229, 230** Chanan ; **231** Yamazaki ; **232-233** *Karthwine Elven Moonstock* R Clayton (M Crane) ; **234** h et bg Ch *Anera Ula* C Macaulay (C Symonds), bc *Braeside Marimba* H Hewitt (H Hewitt) ; **235** GrCh *Emarelle Milos* MR Lyall (R Hopkins) ; **236** *Satusai Fawn Amy* I Reid (I Reid) ; **237** *Lionelle Rupert Bear* C Bailey (C Tencor) ; **239, 240-241** T Straede ; **243** *Silvaner Pollyanna*, **244-245** *Silvaner Kuan*, all C Thompson (C Thompson) ; **249** *Phoebe* (F Kerr) ; **247, 248** GrCh *Aerostar Spectre* JED Mackie (S Callen & I Hotten) ; **250, 251** Chanan ; **252-253** Yamazaki ; **254** *Ballego Betty Boo* J Gillies (J Gillies) ; **255** *Kartuch Benifer* C & T Clark (C & T Clark) ; **256** *Vatan Mimi* D Beech & J Chalmers (J Moore) ; **257** *Lasiesta Blackberry Girl* GW Dyson (GW Dyson) ; **258** *Boronga Blaktortie Dollyvee* P Impson (J Quiddington) ; **259** *Boronga Black Othello* P Impson (J Thurman) ; **260** *Vervain Goldberry* N Johnson (N Johnson) ; **261** *Vervain Ered Luin* N Johnson (N Johnson) ; **262, 264, 265, 266, 267** Chanan ; **268** GrCh *Bambino Alice Bugown* B Boizard Neal (B Boizard Neal) ; **269** Ch *Bambino Seawitch* B Boizard Neal (B Boizard Neal) ; **270** *Impromptu Crystal M Garrod* (M Garrod) ; **271** *Braeside Red Sensation* H Hewitt (H Hewitt) ; **272** Ch *Hobberdy Hokey Cokey* A Virtue (A Virtue) ; **273** Ch *Bambino Dreamy* B Boizard Neal (B Boizard Neal) ; **275** *Romantica Marcus Macoy* (Mrs Davison) ; **276** *Grimspound Majesticlady* Miss Hodgkinson (Miss Hodgkinson) ; **277** *Tonkitu's Adinnsh Xin Wun* D Burke (D Burke) ; **278** *Tonkitu Mingchen* D Burke (D Burke) ; **279** *Episcopus*

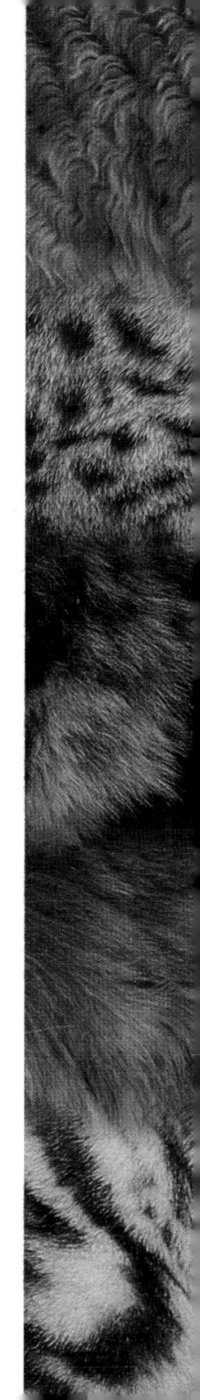

Leonidas (Mrs Murray-Langley) ; **281** Ch *Pannaduloa Phaedra* J Hansson (J Hansson) ; **282** Yamazaki ; **283** Ch *Willowbreeze Goinsolo* Mr & Mrs Robinson (TK Hull-Williams) ; **284, 285** Yamazaki ; **286** GrCh *Dawnus Primadonna* A Douglas (A Douglas) ; **287** GrCh *Pannaduloa Yentantethra* J Hansson (J Hansson) ; **288** Ch *Darling Copper Kingdom* I George (S Mauchline) ; **289** hd *Mewzishun Bel Canto* A Greatorex (D Aubyn), bg *Indalo Knights Templar* P Bridham (P Bridham) ; **290** *Merescuff Allart* (E Mackenzie-Wood) ; **291** Ch *Sisar Brie* L Pummell (L Pummell) ; **293** *Jasrobinka Annamonique* P & J Choppen (P & J Choppen) ; **294** hg *Tenaj Blue Max* J Tonkinson (K Iremonger), d *Simonski Sylvester Sneakly* S Cosgrove (S Cosgrove), b ChPr *Adixish Minos Mercury* A Concanon (A Concanon) ; **295** GrCh *Sukinfer Samari* J O'Boyle (J O'Boyle) ; **296** *Simonski Sylvester Sneakly* S Cosgrove (S Cosgrove) ; **297** GrPr *Jasrobinka Jeronimo* P & J Choppen (P & J Choppen) ; **298** *Saxongate Paler Shades* (D Buxcey) ; **299** *Adhuish Tuwhit Tuwhoo* N Williams (N Williams) ; **300** *Parthia Angelica* MA Skelton (MA Skelton) ; **301** *Sunjade Brandy Snap* E Wildon (E Tomlinson) ; **302** *Scilouette Angzhi* C & T Clark (C & T Clark) ; **303** *Scintilla Silver Whirligig* P Turner (D Walker) ; **305** Yamazaki ; **306-307** *Ngkomo Ota* A Scruggs (L Marcel) ; **309, 311** Yamazaki ; **313** *Myowal Rudolph* J Cornish (J Compton) ; **314** Pr *Adkrish Samson* PK Weissman (PK Weissman) ; **315** *Leshocha Azure My Friend* E Himmerston (E Himmerston) ; **316, 317** Chanan ; **318** *Adhuish Grainne* N Jarrett (J Burton) ; **319** GrCh *Nobilero Loric Vilesilenca* AE & RE Hobson (M Reed) ; **320** Pr *Bobire Justin Tyme* IE Longhurst (A Charlton) ; **321** GrCh *Ikari Donna* S Davey (J Plumb) ; **322** GrPr *Bevilleon Dandy Lion* B Lyon (M Chitty) ; **323** *Myowal Susie Sioux* G Cornish (J & B Archer) ; **324** *Reaha Anda Bebare* S Scanlin (A Rushbrook & J Plumb) ; **325, 326-327** Yamazaki ; **329, 331** Chanan ; **333, 334, 335, 336-337** Yamazaki ; **338** Chanan ; **339** Yamazaki ; **340, 341** Chanan ; **342** Yamazaki ; **343** Chanan ; **344** *Gaylee Diablo* M Nicholson (M Nicholson) ; **345** *Gaylee Diablo* M Nicholson (M Nicholson) ; **346** Chanan ; **348-349** *Gaylee Diablo* M Nicholson (M Nicholson) ; **351, 352-353, 354, 355** Yamazaki ; **356** *Friskie* (Bethlehem Cat Sanctuary) ; **357** h nom inconnu, c nom inconnu Jane Burton, b *Sinbad Sailor Blue* (V Lew). **382** Chanan